4-1

초등 수학
팩토

KB070114

단원별 산력 계 수학

1 단원

큰 수

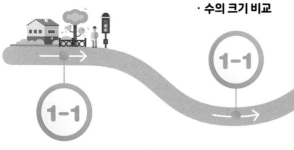

1 큰 수

Teaching Guide

우리나라의 경우 수를 읽을 때에는 만, 억, 조로 네 자리씩 끊어 읽는 반면, 수를 표기할 때는 세 자리씩 끊어서 쓰는 영어식으로 표현하고 있습니다. 영어에는 만(10,000)이라는 단위가 없기 때문입니다.

따라서 우리 아이들이 일상생활에서 접하는 큰 수의 경우 영어식 표기대로 쓰여진 수들이 많으므로, 네 자리씩 끊어 읽는 부분을 유의하여 지도해야 합니다. 아이들에게 큰 수를 쓸 때 세 자리마다 끊어서 써야 한다는 것은 굳이 설명할 필요가 없습니다.

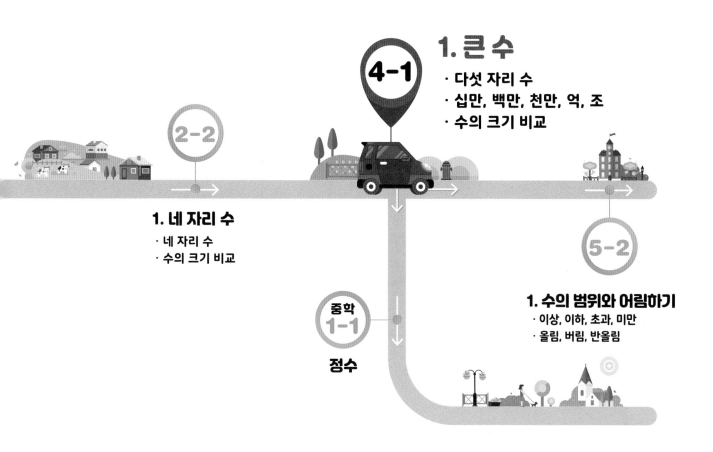

1. 큰 수

4-1

· 다섯 자리 수
· 십만, 백만, 천만, 억, 조
· 수의 크기 비교

2-2

1. 네 자리 수
· 네 자리 수
· 수의 크기 비교

중학 1-1
정수

5-2

1. 수의 범위와 어림하기
· 이상, 이하, 초과, 미만
· 올림, 버림, 반올림

공부한 날짜

①일차 다섯 자리 수
월   일

②일차 십만, 백만, 천만
월   일

③일차 억과 조
월   일

④일차 뛰어 세기
월   일

⑤일차 수의 크기 비교
월   일

참 잘했어요!

잘했어! 최고야!

⑥일차 응용 문제
월   일

⑦일차 형성 평가
월   일

⑧일차 단원 평가
월   일

01 다섯 자리 수

정답 02쪽

- 1000이 10개인 수

  쓰기 10000 또는 1만

  읽기 만 또는 일만

| 1000 | 1000 | 1000 | 1000 | 1000 |
| 1000 | 1000 | 1000 | 1000 | 1000 |

- 10000이 2개, 1000이 5개, 100이 1개, 10이 4개, 1이 3개인 수

  쓰기 25143

  읽기 이만 오천백사십삼 ← 일의 자리부터 네 자리씩 끊어서 띄어 읽음

1 안에 알맞은 수를 써넣으시오.

1000이 10개인 수

➡

9999보다 1 큰 수

➡

9990보다 10 큰 수

➡

9900보다 100 큰 수

➡

9000보다 1000 큰 수

➡

10000

➡ 1000이 　　　개인 수

10000

➡ 9999보다 　　　큰 수

10000

➡ 9990보다 　　　큰 수

10000

➡ 9900보다 　　　큰 수

10000

➡ 9000보다 　　　큰 수

② 빈 곳에 알맞게 써넣어 수를 읽어 보시오.

┌─ |의 경우 숫자는 읽지 않고 자릿값만 읽음

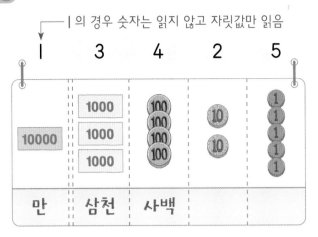

┌─ 0은 읽지 않음

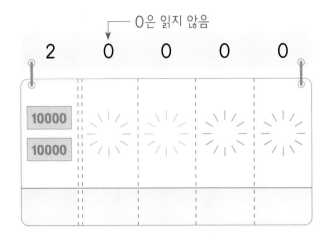

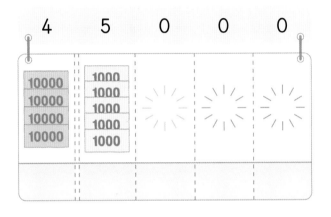

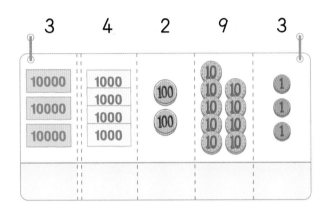

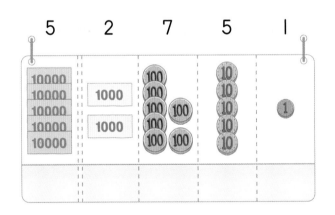

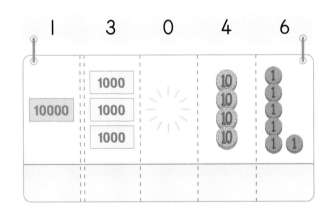

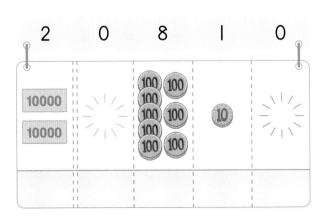

3 빈 곳에 알맞은 수를 써넣으시오.

만 육천 팔백 이십 사

10000의 개수	1000의 개수	100의 개수	10의 개수	1의 개수
1	6	8		

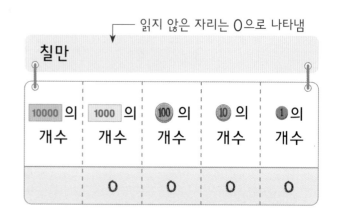

읽지 않은 자리는 0으로 나타냄

칠만

10000의 개수	1000의 개수	100의 개수	10의 개수	1의 개수
	0	0	0	0

삼만 구천

10000의 개수	1000의 개수	100의 개수	10의 개수	1의 개수

사만 이천 백 육십 팔

10000의 개수	1000의 개수	100의 개수	10의 개수	1의 개수

오만 천 사백 삼십 육

10000의 개수	1000의 개수	100의 개수	10의 개수	1의 개수

만 오천 칠백 삼

10000의 개수	1000의 개수	100의 개수	10의 개수	1의 개수

구만 칠천 이십

10000의 개수	1000의 개수	100의 개수	10의 개수	1의 개수

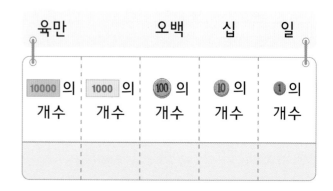

육만 오백 십 일

10000의 개수	1000의 개수	100의 개수	10의 개수	1의 개수

4 수를 읽거나 수를 써넣으시오.

보기

| 2 7 5 2 6 | 이만 칠천오백이십육 | 사만 천육백오십이 | 41652 |

만 천백십

4 1652

60000 —

38000 —

14971 —

59750 —

82103 —

40610 —

90701 —

팔만 —

삼만 이천백팔십오 —

오만 육천 —

만 팔천삼백육십 —

구만 사백십삼 —

육만 이백사 —

이만 천구십 —

02 십만, 백만, 천만

초등
4-1

1 큰 수

- 10000이 10개인 수 ➡ 쓰기 100000 또는 10만 읽기 십만
- 10000이 100개인 수 ➡ 쓰기 1000000 또는 100만 읽기 백만
- 10000이 1000개인 수 ➡ 쓰기 10000000 또는 1000만 읽기 천만

1 ☐ 안에 알맞게 써넣으시오.

10000이 10개인 수

쓰기   100000   또는   10만

읽기

10000이 91개인 수

쓰기   또는

읽기   구십일만

10000이 100개인 수

쓰기   또는

읽기

10000이 508개인 수

쓰기   또는

읽기

10000이 1000개인 수

쓰기   또는

읽기

10000이 4016개인 수

쓰기   또는

읽기

2 수를 읽어 보시오.

보기

→ 왼쪽부터 차례로 읽음

⑤	4	6	3	⑦	1	0	9
천	백	십		천	백	십	

만

➡ 오천사백육십삼만 칠천백구

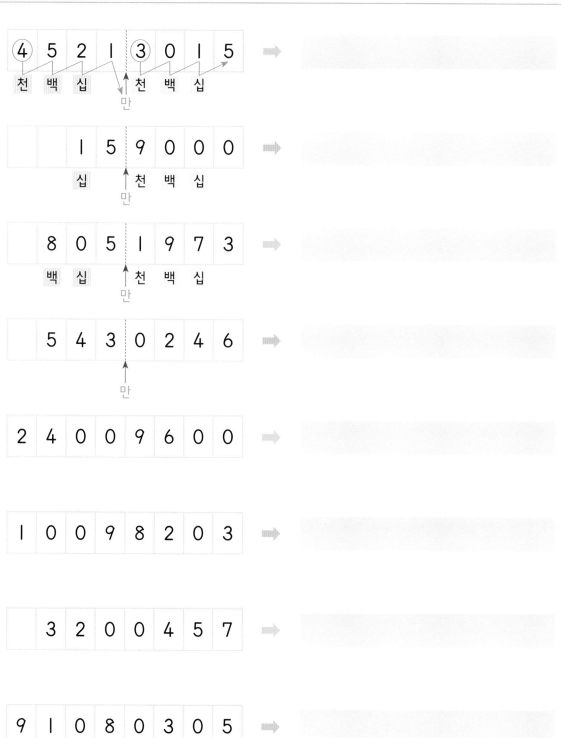

④	5	2	1	③	0	1	5
천	백	십	만	천	백	십	

➡

		1	5	9	0	0	0
		십	만	천	백	십	

➡

	8	0	5	1	9	7	3
	백	십	만	천	백	십	

➡

	5	4	3	0	2	4	6
				만			

➡

2	4	0	0	9	6	0	0

➡

1	0	0	9	8	2	0	3

➡

	3	2	0	0	4	5	7

➡

9	1	0	8	0	3	0	5

➡

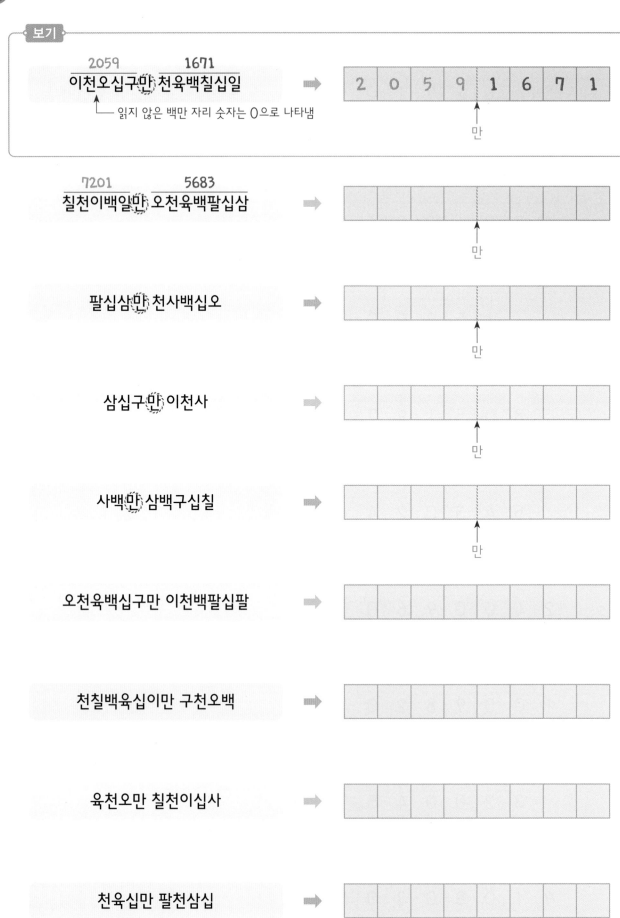

보기

2059 | 1671
이천오십구만 천육백칠십일 ➡ | 2 | 0 | 5 | 9 | 1 | 6 | 7 | 1 |
└─ 읽지 않은 백만 자리 숫자는 0으로 나타냄
만

7201 | 5683
칠천이백일만 오천육백팔십삼 ➡
만

팔십삼만 천사백십오 ➡
만

삼십구만 이천사 ➡
만

사백만 삼백구십칠 ➡
만

오천육백십구만 이천백팔십팔 ➡

천칠백육십이만 구천오백 ➡

육천오만 칠천이십사 ➡

천육십만 팔천삼십 ➡

4 안에 알맞은 수를 써넣으시오.

보기

1458 7230 ➡ 십만의 자리 숫자는 **5** 이고, **500000** 을 나타냄
천백십 천백십
    만

9350 1876 ➡ 백만의 자리 숫자는 **3** 이고,   을 나타냄
천백십 천백십
   만

4692 1058 ➡ 천만의 자리 숫자는   이고,   을 나타냄
천백십 천백십
   만

20 7956 ➡ 십만의 자리 숫자는   이고,   을 나타냄
십 천백십
  만

51 30692 ➡ 만의 자리 숫자는   이고,   을 나타냄

8547 6301 ➡ 백만의 자리 숫자는   이고,   을 나타냄

6927 1584 ➡ 천만의 자리 숫자는   이고,   을 나타냄

2801 6793 ➡ 백만의 자리 숫자는   이고,   을 나타냄

7491 8506 ➡ 십만의 자리 숫자는   이고,   을 나타냄

03 억과 조

● 억 알아보기

・ 1000만이 10개인 수 ➡ 쓰기 100000000 또는 1억
　　　　　　　　　　　　　　　　└ 0이 8개

　　　　　　　　　　　　　읽기 억 또는 일억

1만 ⎡ 9999보다 1 큰 수 ⎜ 9990보다 10 큰 수 ⎜ 9900보다 100 큰 수 ⎣ 9000보다 1000 큰 수	1억 ⎡ 9999만보다 1만 큰 수 ⎜ 9990만보다 10만 큰 수 ⎜ 9900만보다 100만 큰 수 ⎣ 9000만보다 1000만 큰 수

1 수를 읽어 보시오.

2	5	0	0	0	7	9	0	3	0	1	0
천	백	십	↑억	천	백	십	↑만	천	백	십	

➡ 이천오백억

4	3	0	0	0	0	0	0	0	0	0	0
천	백	십	↑억	천	백	십	↑만	천	백	십	

➡

	1	6	3	8	0	0	0	0	0	0
	십	↑억	천	백	십	↑만	천	백	십	

➡

6	0	0	0	5	0	0	2	4	0	0

➡

1	8	4	0	0	0	8	0	0	5	7	0

➡

9	2	0	3	7	0	4	0	0	0	5	8

➡

● 조 알아보기

・ 1000억이 10개인 수 ➡ 쓰기 1000000000000 또는 1조

0이 12개

일기 조 또는 일조

┌ 9999만보다 1만 큰 수
1억 ┤ 9990만보다 10만 큰 수
│ 9900만보다 100만 큰 수
└ 9000만보다 1000만 큰 수

┌ 9999억보다 1억 큰 수
1조 ┤ 9990억보다 10억 큰 수
│ 9900억보다 100억 큰 수
└ 9000억보다 1000억 큰 수

2 수를 읽어 보시오.

1	7	0	0	0	2	3	0	0	0	8	0	6	5	0	0
천	백	십		천	백	십		천	백	십		천	백	십	
			조				억				만				

➡ **천칠백조** 이백삼십억

5	9	4	0	0	0	0	0	0	0	0	0	0	0	0	0
천	백	십		천	백	십		천	백	십		천	백	십	
			조				억				만				

➡

7	2	9	2	0	0	0	0	0	0	0	0	0	0	0
십		천	백	십		천	백	십		천	백	십		
	조				억				만					

➡

2 0 1 0 0 6 0 0 5 4 0 0 0 0 0 ➡

6 0 0 0 8 0 0 0 0 2 0 7 3 0 0 ➡

8 7 0 1 6 0 0 0 5 0 9 0 0 8 0 ➡

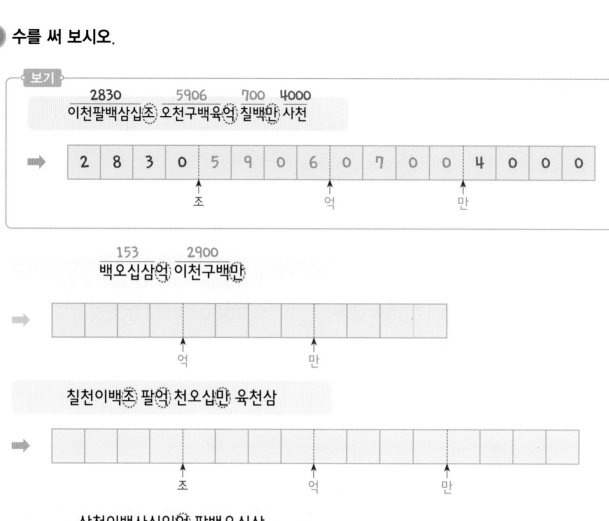

153   2900
백오십삼억 이천구백만

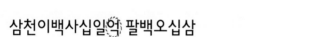

↑   ↑
억   만

칠천이백조 팔억 천오십만 육천삼

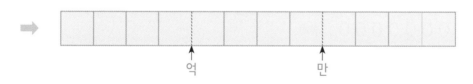

↑   ↑   ↑
조   억   만

삼천이백사십일억 팔백오십삼

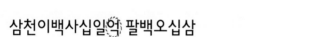

↑   ↑
억   만

천이백사십조 칠십구억 오천만 이십구

오백이십팔조 구백육억 칠천이만

천육백오십조 구백십삼만 이천팔백사십일

4 ☐ 안에 알맞은 수를 써넣으시오.

보기

1458720009430286 ➡ 백억의 자리 숫자는 **2** 이고,

천백십 ↑천백십 ↑천백십 ↑천백십
　　조　　　억　　　만

20000000000 을 나타냄

2700915680031450 ➡ 천억의 자리 숫자는 **9** 이고,

천백십 ↑천백십 ↑천백십 ↑천백십
　　조　　　억　　　만

을/를 나타냄

5138014900726034 ➡ 십조의 자리 숫자는 ☐ 이고,

천백십 ↑천백십 ↑천백십 ↑천백십
　　조　　　억　　　만

을/를 나타냄

9401861007531968 ➡ 십억의 자리 숫자는 ☐ 이고,

천백십 ↑천백십 ↑천백십 ↑천백십
　　조　　　억　　　만

을/를 나타냄

7049317258003695 ➡ 천조의 자리 숫자는 ☐ 이고,

을/를 나타냄

3625140890712409 ➡ 억의 자리 숫자는 ☐ 이고,

을/를 나타냄

6135840297311670 ➡ 조의 자리 숫자는 ☐ 이고,

을/를 나타냄

4680179320859481 ➡ 백조의 자리 숫자는 ☐ 이고,

을/를 나타냄

04 뛰어 세기

● 몇씩 뛰어 세기

| 25000 | 35000 | 45000 | 55000 | 65000 |

➡ 만의 자리 수가 1씩 커집니다.

| 810억 | 820억 | 830억 | 840억 | 850억 |

➡ 십억의 자리 수가 1씩 커집니다.

① 주어진 수만큼씩 수를 뛰어 세어 보시오.

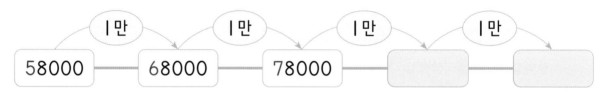

➡ 만의 자리 수가 1씩 커집니다.

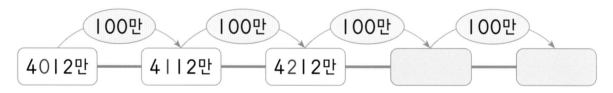

➡ 백만의 자리 수가 1씩 커집니다.

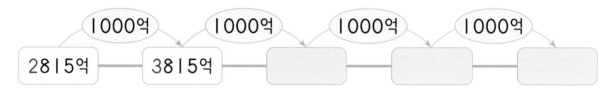

➡ 천억의 자리 수가 1씩 커집니다.

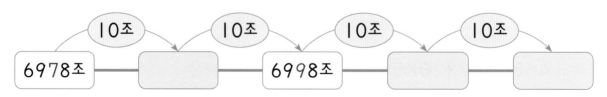

➡ 십조의 자리 수가 1씩 커집니다.

2 뛰어 센 규칙을 찾아 수를 뛰어 세어 보시오.

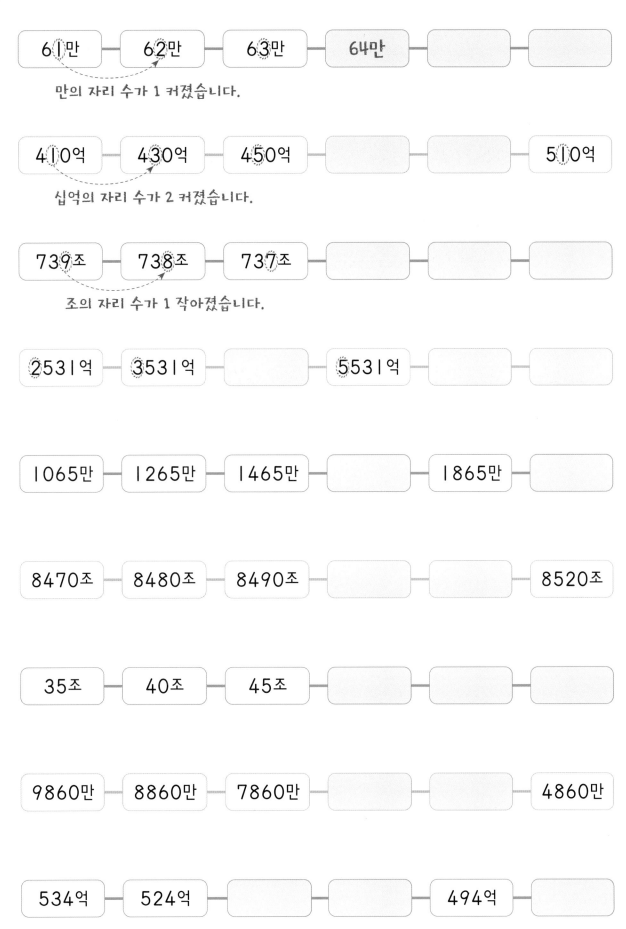

61만 — 62만 — 63만 — 64만 — ☐ — ☐

만의 자리 수가 1 커졌습니다.

410억 — 430억 — 450억 — ☐ — ☐ — 510억

십억의 자리 수가 2 커졌습니다.

739조 — 738조 — 737조 — ☐ — ☐ — ☐

조의 자리 수가 1 작아졌습니다.

2531억 — 3531억 — ☐ — 5531억 — ☐ — ☐

1065만 — 1265만 — 1465만 — ☐ — 1865만 — ☐

8470조 — 8480조 — 8490조 — ☐ — ☐ — 8520조

35조 — 40조 — 45조 — ☐ — ☐ — ☐

9860만 — 8860만 — 7860만 — ☐ — ☐ — 4860만

534억 — 524억 — ☐ — ☐ — 494억 — ☐

● 몇 배씩 뛰어 세기

• 어떤 수를 10배 하면 어떤 수 뒤에 0이 한 개 붙습니다.

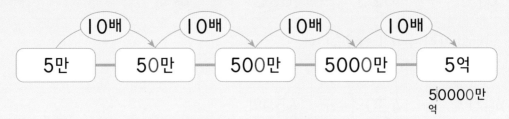

| 5만 | 50만 | 500만 | 5000만 | 5억 |

50000만
억

• 어떤 수를 100배 하면 어떤 수 뒤에 0이 두 개 붙습니다.

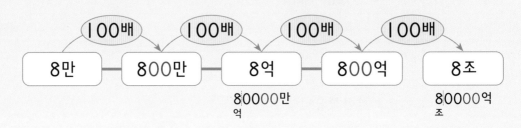

| 8만 | 800만 | 8억 | 800억 | 8조 |

80000만
억

80000억
조

3 주어진 몇 배만큼씩 수를 뛰어 세어 보시오.

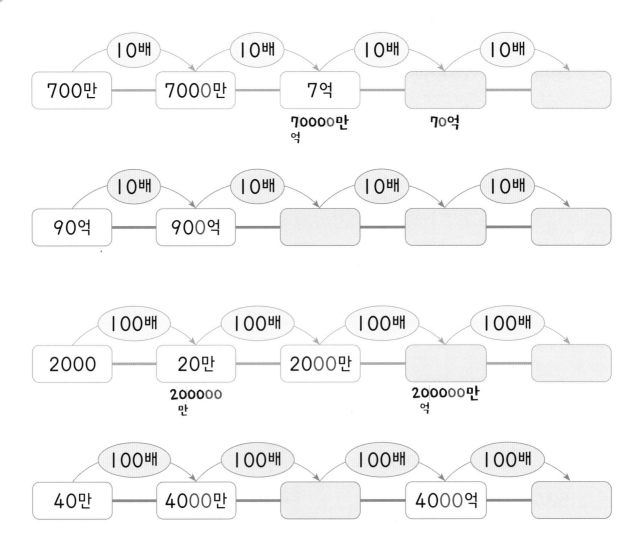

4 　안에 알맞은 수를 써넣으시오.

4000의 10배

➡ **4만**
40000

4000의 100배

➡
400000

4000의 1000배

➡
4000000

1만의 10배

➡
100000

1만의 100배

➡
1000000

1만의 1000배

➡
10000000

10억의 100배

➡

100억의 100배

➡

1000억의 100배

➡

1만의 1000배

➡

10만의 1000배

➡

100만의 1000배

➡

300의 1000배

➡

30000의 10배

➡

3000의 100배

➡

5조의 100배

➡

500억의 1000배

➡

5000만의 10배

➡

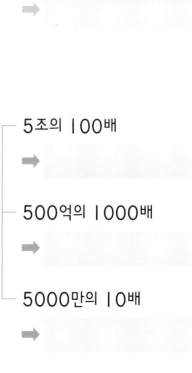

05 수의 크기 비교

자리 수가 다른 경우

175350000 > 84210000
9자리 수   8자리 수

➡ 자리 수가 많은 수가 더 큰 수

자리 수가 같은 경우

8자리 수   8자리 수
53740000 > 53250000
7>2

➡ 가장 높은 자리의 수부터 차례로
비교하여 수가 큰 쪽이 더 큰 수

---

1 두 수의 크기를 비교하여 ◯ 안에 > 또는 <를 알맞게 써넣으시오.

28652 ◯ 1752658
5자리 수   7자리 수
5<7

4819238 ◯ 481746

63473809 ◯ 8431742

82946761 ◯ 401258340

1032500460 ◯ 975648031

320004190500 ◯ 709420586001

3만 8천 ◯ 12만
3<12

401만 3천 ◯ 98만 746

9억 6000만 ◯ 11억 30만

30조 340억 ◯ 450억 90만

2 두 수의 크기를 비교하여 ⬤ 안에 > 또는 <를 알맞게 써넣으시오.

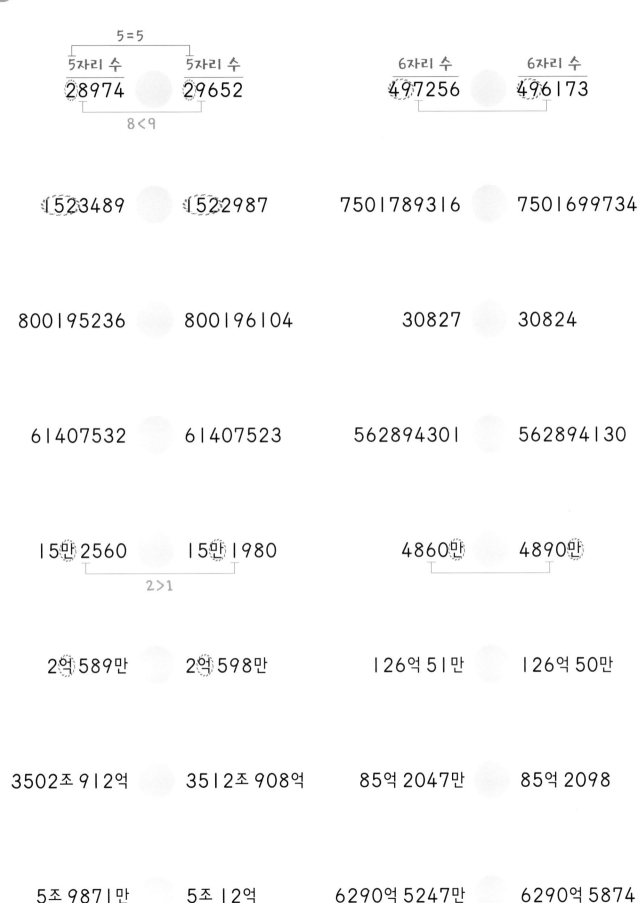

5 = 5

5자리 수   5자리 수
28974 ⬤ 29652
8 < 9

6자리 수   6자리 수
497256 ⬤ 496173

523489 ⬤ 522987

7501789316 ⬤ 7501699734

800195236 ⬤ 800196104

30827 ⬤ 30824

61407532 ⬤ 61407523

562894301 ⬤ 562894130

15만 2560 ⬤ 15만 1980
2 > 1

4860만 ⬤ 4890만

2억 589만 ⬤ 2억 598만

126억 51만 ⬤ 126억 50만

3502조 912억 ⬤ 3512조 908억

85억 2047만 ⬤ 85억 2098

5조 9871만 ⬤ 5조 12억

6290억 5247만 ⬤ 6290억 5874

3 두 수의 크기를 비교하여 ◯ 안에 > 또는 <를 알맞게 써넣으시오.

5자리 수		6자리 수		6자리 수		6자리 수
28652	◯	138420		369501	◯	369497

| 1345210 | ◯ | 5724923 | | 497259 | ◯ | 497273 |

| 10045623 | ◯ | 1004786 | | 504827421 | ◯ | 504827420 |

| 8543917502 | ◯ | 85408003172 | | 1532947 | ◯ | 15326507 |

| 132만 5600 | ◯ | 131만 5600 | | 230조 35억 | ◯ | 240억 350만 |

132>131

| 32억 2350만 | ◯ | 320억 64만 | | 812억 1324만 | ◯ | 813억 500만 |

| 9300억 271만 | ◯ | 104조 | | 27조 3400만 | ◯ | 27조 920만 3721 |

| 34조 6350만 | ◯ | 34조 1247억 | | 2조 246억 725 | ◯ | 2조 246억 720만 |

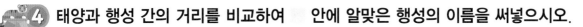 **4** 태양과 행성 간의 거리를 비교하여 ⬜ 안에 알맞은 행성의 이름을 써넣으시오.

태양과 행성 간의 거리

행성	태양과의 거리(km)
화성	2억 2794만
수성	579 0000만
목성	7억 7834만
금성	108210000
토성	1426670000
천왕성	28억 7066만
지구	1억 4960만
해왕성	4498400000

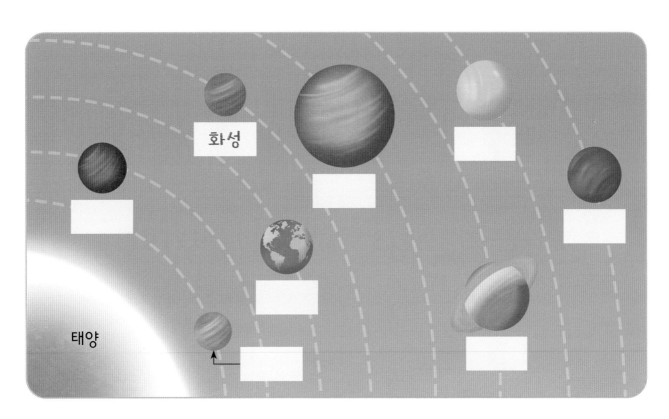

수 카드로 수 만들기

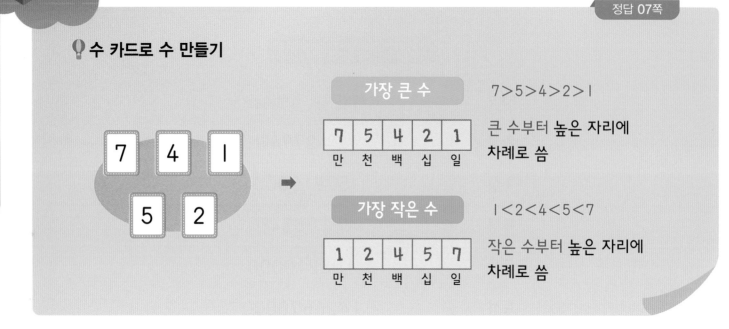

가장 큰 수			7>5>4>2>1
7	5	4	2	1
만	천	백	십	일

큰 수부터 높은 자리에 차례로 씀

가장 작은 수			1<2<4<5<7
1	2	4	5	7
만	천	백	십	일

작은 수부터 높은 자리에 차례로 씀

응용 ① 5장의 수 카드를 모두 사용하여 **가장 큰 다섯 자리 수**와 **가장 작은 다섯 자리 수**를 각각 만드시오.

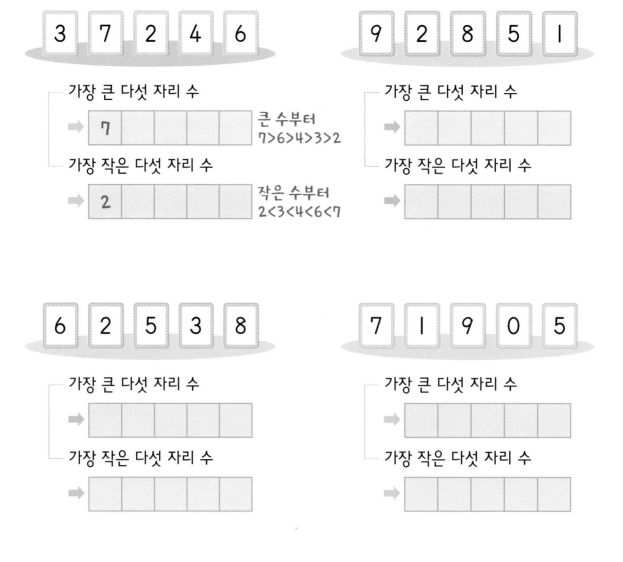

3 7 2 4 6

가장 큰 다섯 자리 수
→ 7 | | | | | 큰 수부터 7>6>4>3>2
가장 작은 다섯 자리 수
→ 2 | | | | | 작은 수부터 2<3<4<6<7

9 2 8 5 1

가장 큰 다섯 자리 수
→
가장 작은 다섯 자리 수
→

6 2 5 3 8

가장 큰 다섯 자리 수
→
가장 작은 다섯 자리 수
→

7 1 9 0 5

가장 큰 다섯 자리 수
→
가장 작은 다섯 자리 수
→

응용 2 10장의 수 카드를 모두 사용하여 **가장 큰 10자리 수**와 **가장 작은 10자리 수**를 각각 만드시오.

가장 큰 10자리 수

큰 수부터
9=9>8>7>6>5>4>3>2>1

➡️

9	9								

작은 수부터
1<2<3<4<5<6<7<8<9=9

가장 작은 10자리 수

➡️

1	2								

가장 큰 10자리 수

➡️

가장 작은 10자리 수

➡️

가장 큰 10자리 수

➡️

가장 작은 10자리 수

➡️

가장 큰 10자리 수

➡️

가장 작은 10자리 수

➡️

💡 금액 알아보기

저금통에 10000원짜리 지폐가 7장, 1000원짜리 지폐가 21장, 100원짜리 동전이 9개 들어 있습니다. 저금통에 들어 있는 돈은 모두 얼마입니까?

① 각각의 돈이 얼마인지 알아보기

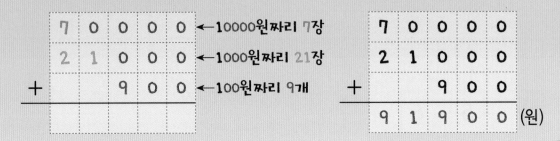

	7	0	0	0	0	← 10000원짜리 7장
	2	1	0	0	0	← 1000원짜리 21장
+			9	0	0	← 100원짜리 9개

② 합으로 구하기

	7	0	0	0	0	
	2	1	0	0	0	
+			9	0	0	
	9	1	9	0	0	(원)

응용 ③ 다음은 모두 얼마입니까?

10000원짜리 지폐 6장
1000원짜리 지폐 15장
100원짜리 동전 4개

➡

	6	0	0	0	0	← 10000원짜리
	1	5	0	0	0	← 1000원짜리
+						← 100원짜리
						(원)

10000원짜리 지폐 8장
1000원짜리 지폐 31장
100원짜리 동전 7개

➡

		8	0	0	0	0
+						
						(원)

10000원짜리 지폐 9장
1000원짜리 지폐 25장
100원짜리 동전 62개

➡

+					
					(원)

<u>100000</u>
10만 원짜리 수표 8장
1만 원짜리 지폐 15장
1000원짜리 지폐 9장
100원짜리 동전 3개

➡

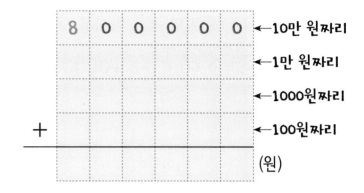

10만 원짜리 수표 9장
1만 원짜리 지폐 27장
1000원짜리 지폐 5장
100원짜리 동전 34개

➡

100만 원짜리 수표 5장
10만 원짜리 수표 13장
1만 원짜리 지폐 7장
1000원짜리 지폐 50장

➡

100만 원짜리 수표 6장
10만 원짜리 수표 29장
1만 원짜리 지폐 38장
1000원짜리 지폐 24장

➡

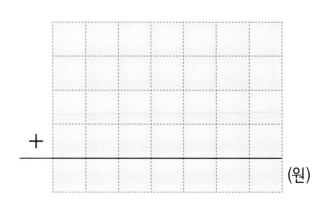

01 맞으면 ○표, 틀리면 ✕표 하시오.

(1) 9990보다 10 큰 수는 10000 입니다. (   )

(2) 1000이 100개인 수는 10000 입니다. (   )

02 빈 곳에 알맞게 써넣어 수를 읽어 보시오.

(1)

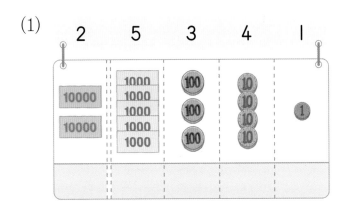

(2)

4 0 7 0 3

10000		100 100		1
10000		100 100		1
10000		100 100		1
10000		100 100		

03 빈 곳에 알맞은 수를 써넣으시오.

(1)

(2)

04 수를 읽거나 수를 써넣으시오.

(1)  57490

(2)  16908

(3)  30025

(4) 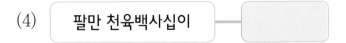 팔만 천육백사십이

(5) 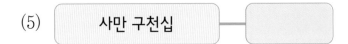 사만 구천십

05 설명하는 수를 쓰고, 읽어 보시오.

10000이 2174개인 수

쓰기 (   )

읽기 (   )

06 수를 읽어 보시오.

(1) 160000

(   )

(2) 72091054

(   )

07 수를 바르게 쓴 것을 찾아 기호를 쓰시오.

> ㉠ 천이백만 사백육십일
>   ➡ 1200461
> ㉡ 사백삼만 오천칠십팔
>   ➡ 40035078
> ㉢ 육천십만 구백오십삼
>   ➡ 60100953

(   )

08 59327468에 대한 설명으로 옳은 것을 찾아 기호를 쓰시오.

> ㉠ 천만의 자리 숫자는 7이고, 70000000입니다.
> ㉡ 백만의 자리 숫자는 5이고, 5000000을 나타냅니다.
> ㉢ 십만의 자리 숫자는 3이고, 300000을 나타냅니다.

(   )

09 수를 읽어 보시오.

(1) 720500409000

(   )

(2) 250300140000000

(   )

10 수를 써 보시오.

(1) 　이백사십칠억 육백구십이만

(　　　　　　　　　　　)

(2) 　오십삼조 칠백만 이천일

(　　　　　　　　　　　)

11 안에 알맞은 수를 써넣으시오.

8021070450360900

억의 자리 숫자는 　　　 이고,

　　　　　　　　　　 을/를 나타냅니다.

12 숫자 2가 나타내는 값이 더 큰 수를 찾아 기호를 쓰시오.

㉠ 2180090405763
㉡ 15203968007400

(　　　　　)

13 10만씩 뛰어 세어 보시오.

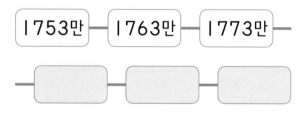

14 뛰어 센 규칙을 찾아 수를 뛰어 세어 보시오.

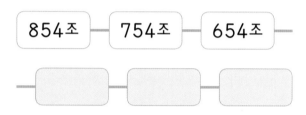

15 주어진 몇 배만큼씩 수를 뛰어 세어 보시오.

(1) 　10배

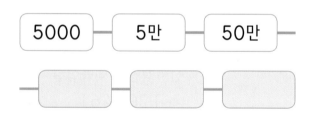

(2) 　100배

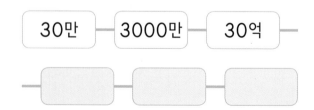

16 안에 알맞은 수를 써넣으시오.

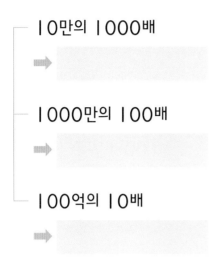

10만의 1000배

➡

1000만의 100배

➡

100억의 10배

➡

17 두 수의 크기를 비교하여 안에 >
또는 <를 알맞게 써넣으시오.

(1) 96287 　　　 103526

(2) 8억 13만 　　　 8억 9700

18 ㉠과 ㉡의 크기를 비교하여 더 작은 수의
기호를 쓰시오.

㉠ 37651289400000
㉡ 37651298200000

(　　　　　　)

19 두 수의 크기를 비교하여 더 큰 수에 색
칠하시오.

(1)
647520310
4803012957

(2)
25160347
25149836

(3)
208조 1200억
208조 8900만

(4)
5조 480억
13000003600000

(5)
2734980000
27억 3500만

20 수가 큰 것부터 차례로 기호를 쓰시오.

㉠ 3675046821
㉡ 29조 426만
㉢ 삼십육억 칠천오백십팔만

　　　 — 　　　 —

1 다음 중 10000이 <u>아닌</u> 것은 어느 것입니까? (　　　)

① 1000이 10개인 수

② 9999보다 1 큰 수

③ 100의 100배인 수

④ 9800보다 20 큰 수

⑤ 1이 10000개인 수

2 다음 수를 쓰고 읽어 보시오.

10000이 5개인 수

쓰기 (　　　　　　　)
읽기 (　　　　　　　)

3 보기 와 같이 각 자리의 숫자가 나타내는 값의 합으로 나타내시오.

> 보기
>
> 35702 = 30000 + 5000 + 700 + 2

90184 = _____

4 ▨ 안에 알맞은 수를 써넣으시오.

(1) 10000이 3개
1000이 8개
100이 7개 ─ 이면 ▨
10이 2개
1이 1개

(2)
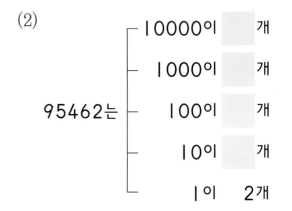

95462는
┌ 10000이 ▨ 개
├ 1000이 ▨ 개
├ 100이 ▨ 개
├ 10이 ▨ 개
└ 1이 2개

5 수로 나타내어 보시오.

(1) 백칠억 삼십이만 육백팔십일

(　　　　　　　　　　　)

(2) 사천팔십이조 천오백만

(　　　　　　　　　　　)

6 뛰어 센 규칙을 찾아 수를 뛰어 세어 보시오.

7 두 수의 크기를 비교하여 안에 >
또는 <를 알맞게 써넣으시오.

(1) 9758306   12047253

(2) 1032억   9785만

8 수를 보고 안에 알맞은 수를 써넣으시오.

54217938

십만의 자리 숫자는 이고,

 을 나타냅니다.

9 안에 알맞은 수를 써넣으시오.

(1) 1억은 1000만이 개인
수입니다.

(2) 1억은 9900만보다
큰 수입니다.

(3) 1억은 100만의 배인
수입니다.

(4) 1억은 9999만보다
큰 수입니다.

(5) 1억은 9000만보다
큰 수입니다.

10 수를 보고 안에 알맞은 수를 써넣으시오.

28107351406

(1) 억이 개, 만이 개,

일이 개인 수입니다.

(2) 십억의 자리 숫자는 이고,

 을 나타냅니다.

11 수를 바르게 읽은 것을 찾아 기호를 쓰시오.

> ㉠ 200000000000
> ➡ 이조
>
> ㉡ 7000000000000
> ➡ 칠십조
>
> ㉢ 4905000000000000
> ➡ 사천구백오조
>
> ㉣ 8010000000000000
> ➡ 팔백일조

(   )

12 다음을 수로 나타내려면 0을 몇 개 써야 합니까?

(1)
> 백억 이천사만 육백구십오

(   )개

(2)
> 팔십조 천오백억 사십삼만 일

(   )개

13 다음 중 천만의 자리 숫자가 가장 큰 수는 어느 것입니까? (   )

① 57019386

② 1362457098

③ 48501967325

④ 803157492068250

⑤ 4268309785130074

14 10000이 8개, 1000이 4개, 100이 5개, 10이 0개, 1이 9개인 수는 얼마입니까?

(   )

15 빈 곳에 알맞은 수를 써넣으시오.

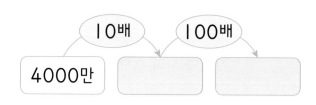

16 다음 중 숫자 5가 나타내는 값이 가장 큰 수를 찾아 기호를 쓰시오.

> ㉠ 569240000
> ㉡ 19540623
> ㉢ 901753004806

(   )

17 5장의 수 카드를 모두 사용하여 만들 수 있는 가장 작은 수를 쓰시오.

| 8 | 0 | 3 | 7 | 1 |

(   )

18 큰 수부터 차례로 기호를 쓰시오.

> ㉠ 십억 이천사백만 팔백십
> ㉡ 192501900
> ㉢ 십억 이천사백만 천이십

— —

19 민주는 저금통에 10000원짜리 지폐 5장, 1000원짜리 지폐 17장, 100원짜리 동전 39개, 10원짜리 동전 5개를 모았습니다. 민주가 모은 돈은 모두 얼마인지 풀이 과정을 쓰고 답을 구하시오.

풀이

답

20 다음 수에서 10억씩 커지게 3번 뛰어 세면 얼마가 되는지 풀이 과정을 쓰고 답을 구하시오.

2978억 50만

풀이

답

memo

논리적 사고력과 창의적 문제해결력을 키워 주는
매스티안 교재 활용법!

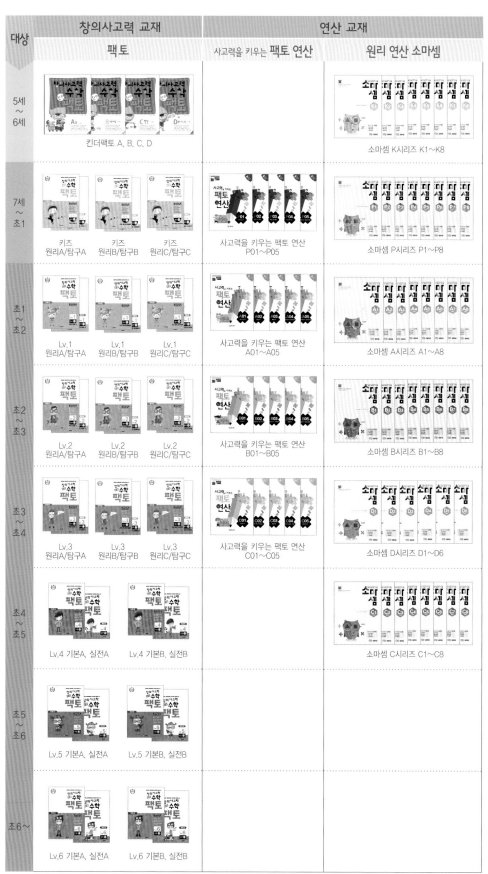

대상	창의사고력 교재 팩토			연산 교재 사고력을 키우는 팩토 연산	원리 연산 소마셈
5세~6세	킨더팩토 A, B, C, D				소마셈 K시리즈 K1~K8
7세~초1	키즈 원리A/탐구A	키즈 원리B/탐구B	키즈 원리C/탐구C	사고력을 키우는 팩토 연산 P01~P05	소마셈 P시리즈 P1~P8
초1~초2	Lv.1 원리A/탐구A	Lv.1 원리B/탐구B	Lv.1 원리C/탐구C	사고력을 키우는 팩토 연산 A01~A05	소마셈 A시리즈 A1~A8
초2~초3	Lv.2 원리A/탐구A	Lv.2 원리B/탐구B	Lv.2 원리C/탐구C	사고력을 키우는 팩토 연산 B01~B05	소마셈 B시리즈 B1~B8
초3~초4	Lv.3 원리A/탐구A	Lv.3 원리B/탐구B	Lv.3 원리C/탐구C	사고력을 키우는 팩토 연산 C01~C05	소마셈 D시리즈 D1~D6
초4~초5	Lv.4 기본A, 실전A	Lv.4 기본B, 실전B			소마셈 C시리즈 C1~C8
초5~초6	Lv.5 기본A, 실전A	Lv.5 기본B, 실전B			
초6~	Lv.6 기본A, 실전A	Lv.6 기본B, 실전B			

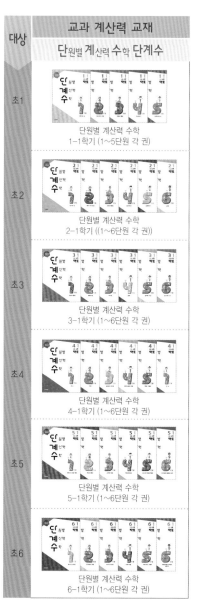

대상	교과 계산력 교재 단원별 계산력 수학 단계수
초1	단원별 계산력 수학 1-1학기 (1~5단원 각 권)
초2	단원별 계산력 수학 2-1학기 ((1~6단원 각 권))
초3	단원별 계산력 수학 3-1학기 (1~6단원 각 권)
초4	단원별 계산력 수학 4-1학기 (1~6단원 각 권)
초5	단원별 계산력 수학 5-1학기 (1~6단원 각 권)
초6	단원별 계산력 수학 6-1학기 (1~6단원 각 권)

대상	교과 수학 교재	
	1학기	2학기
초1	팩토 수학교과서/익힘책 1-1	팩토 수학교과서/익힘책 1-2
초2	팩토 수학교과서/익힘책 2-1	팩토 수학교과서/익힘책 2-2

단계수 학습 순서

매일 학습

단원별로 꼭 알아야 할 개념만 쏙쏙 학습하고 다양한 연산 문제를 통해 연산 과정을 숙달하여 계산력을 쑥쑥 키울 수 있습니다.

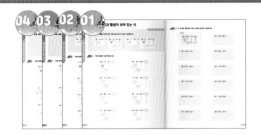

도전! 응용문제

응용 문제와 **서술형** 문제를 통해 사고력과 문제해결력을 기를 수 있습니다.

형성 평가

단원의 **복습 단계**로 문제를 풀면서 학습한 내용을 다시 한 번 확인할 수 있습니다.

단원 평가

단원의 **마무리 학습**으로 학교 시험에 자주 나오는 문제를 통해 수시 평가 등 학교 시험에 대비할 수 있습니다.

 매스티안 http://www.mathtian.com

 자율안전확인신고필증번호: B361H200-4001

1.주소 : 06153 서울특별시 강남구 봉은사로 442 (삼성동)
2.문의전화 : 1588-6066
3.제조국 : 대한민국
4.사용연령 : 11세 이상
※ KC마크는 이 제품이 공통안전기준에 적합하였음을 의미합니다.

⚠ 주의

종이, 모서리에 다칠 수 있으니 주의하세요!

초등학교 　　　반　　　번

이름

4-1
초등 수학
팩토

단 원별

계 산력

수 학

2단원

각도

매스티안

팩토는 자유롭게 자신감있게 창의적으로 생각하는 주니어수학자입니다.

단원별 산력수학

펴낸 곳 (주)타임교육C&P   **펴낸이** 이길호   **지은이** 매스티안R&D센터

주소 06153 서울특별시 강남구 봉은사로 442 (삼성동)   **문의전화** 1588.6066

팩토카페 http://cafe.naver.com/factos   **홈페이지** http://www.mathtian.com

※ 이 책의 모든 내용과 삽화에 대한 저작권은 (주)타임교육C&P에 있으므로 무단 복제와 전송을 금합니다.

※ 정답과 풀이는 온라인 팩토카페(http://cafe.naver.com/factos)를 통해서도 확인할 수 있습니다.

MV2108

생각이 자유로운 사람들! 매스티안R&D센터

매스티안R&D센터의 논리적 사고력과 창의적 문제해결력을 키우는 수학 콘텐츠는 국내외 수많은 교육 현장에서 그 우수성을 높이 평가받고 있습니다.
매스티안R&D센터는 여기에 안주하지 않고 앞으로도 학생, 교사, 학부모 모두가 행복한 수학 시간을 만들 수 있도록 노력하겠습니다.

매스티안 공식 홈페이지 … (http://www.mathtian.com)

· 매스티안의 다양한 출간 교재 소개

· 출간 교재와 관련된 학습 자료(보충 학습지, 활동지 등) 제공

· 출간 교재와 관련된 평가 시험 및 분석 제공

매스티안 공식 카페 … 팩토 (http://cafe.naver.com/factos)

· 창의사고력 수학 팩토 무료 동영상 강의 제공

· 출간 교재에 관한 질문 및 답변

· 영재교육원 대비 자료(기출 문제, 예상 문제) 제공

· 초등 수학 비법 및 Q&A

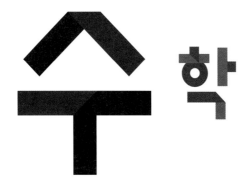

FACTO school

4-1

초등 수학
팩토

단원별 산력
단계수학

2단원

각도

매스티안

4. 평면도형의 이동
· 평면도형 밀기, 뒤집기, 돌리기
· 규칙적인 무늬 만들기

4-1

2. 여러 가지 도형
· 원, 삼각형, 사각형, 오각형, 육각형
· 쌓기나무로 입체도형 만들기

2-1

2. 평면도형
· 선분, 반직선, 직선
· 각, 직각
· 직각삼각형, 직사각형, 정사각형

3-1

4-2

1-2

3. 여러 가지 모양
· ■, ▲, ● 모양
· ■, ▲, ● 모양으로
여러 가지 모양 꾸미기

3-2

3. 원
· 원 그리기
· 원의 중심, 반지름, 지름, 원의 성질

2. 삼각형
· 이등변삼각형, 정삼각형
· 예각삼각형, 둔각삼각형

2. 각도

4-1

· 각도 재기, 각도의 합과 차
· 삼각형, 사각형의 내각의 크기의 합

2 각도

Teaching Guide

· 각을 그리면 하나의 도형에 두 개의 각이 생기게 되는데 이때 보다 큰 쪽의 각을 우각(優角, Reflex angle)이라고 하고, 보다 작은 쪽의 각을 열각(劣角, Minor angle)이라고 합니다. 초등학교 범위에서는 보다 작은 쪽의 각, 즉 열각을 다룹니다.

열각
우각

· 각도를 잴 때와 각을 그릴 때, 각도기 사용법을 정확하게 익힐 수 있도록 합니다.
크기가 주어진 각을 그릴 때 각의 꼭짓점과 각도기의 중심을 정확히 맞추고, 각도기의 밑금을 각의 변에 정확히 맞추어야 한다는 점을 강조할 필요가 있습니다. 각도기 사용에서 가장 흔한 오류는 각의 꼭짓점을 각도기의 중심에 제대로 맞추지 못하는 것입니다.

4. 사각형
· 수직과 수선, 평행과 평행선
· 사각형의 종류

4-2

중학 1-2 다각형

5. 원의 넓이
· 원주와 지름의 관계
· 원주율
· 원주와 지름, 원의 넓이

6-2

중학 2-2 사각형의 성질

4-2

6. 다각형
· 다각형, 정다각형
· 모양 만들기와 채우기

5-1

6. 다각형의 둘레와 넓이
· 평면도형의 둘레
· 1cm², 1m², 1km²
· 삼각형과 사각형의 넓이

중학 1-2 원과 부채꼴

중학 3-2 원의 성질

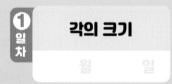
공부한 날짜

1일차 각의 크기
월 일

2일차 각 그리기
월 일

3일차 예각과 둔각, 각도 어림하기
월 일

4일차 각도의 합과 차
월 일

5일차 삼각형의 세 각의 크기의 합, 사각형의 네 각의 크기의 합
월 일

6일차 응용 문제
월 일

7일차 형성 평가
월 일

8일차 단원 평가
월 일

01 각의 크기

정답 10쪽

● 각의 크기는 변의 길이와 관계없이 **두 변이 벌어진 정도**에 따라 비교합니다.

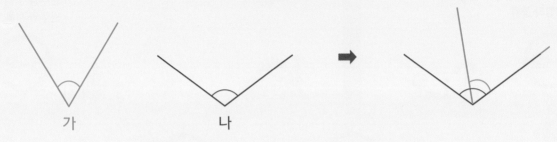

나의 각의 크기는 가의 각의 크기보다 큽니다.

1 두 각의 크기를 비교하여 **더 큰 각**을 찾아 기호를 쓰시오.

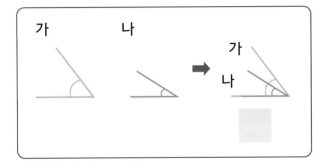

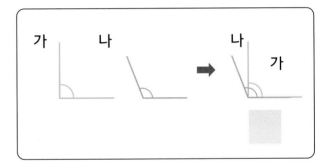

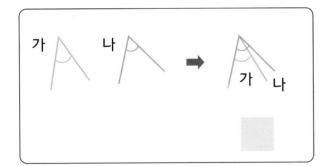

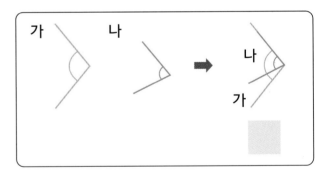

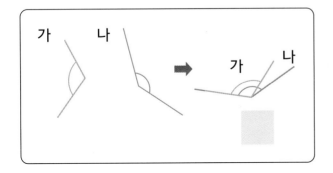

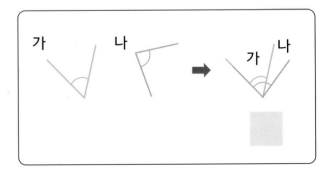

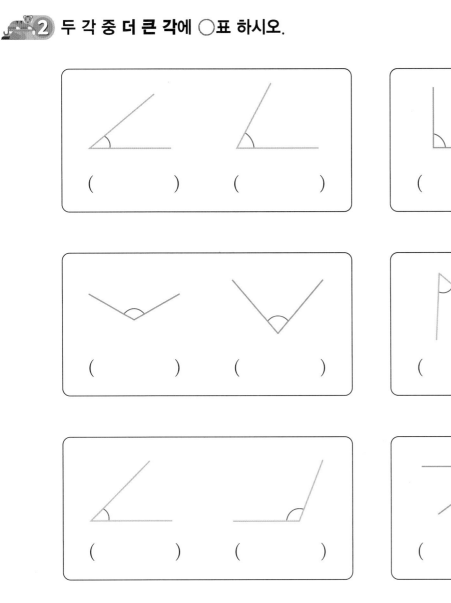

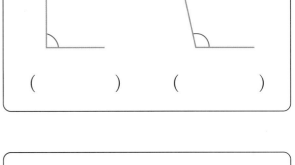

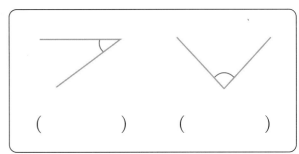

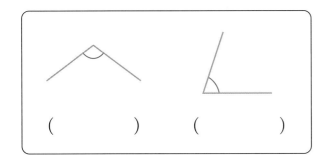

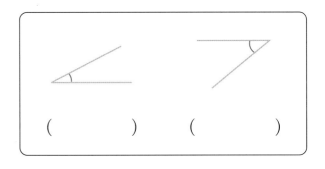

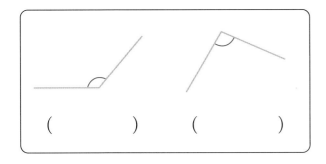

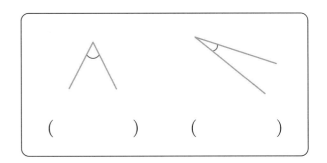

● 각도기로 각도를 재는 순서

└→ 각의 크기

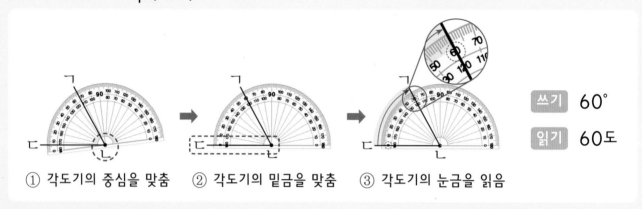

① 각도기의 중심을 맞춤 ② 각도기의 밑금을 맞춤 ③ 각도기의 눈금을 읽음

쓰기 60°

읽기 60도

예

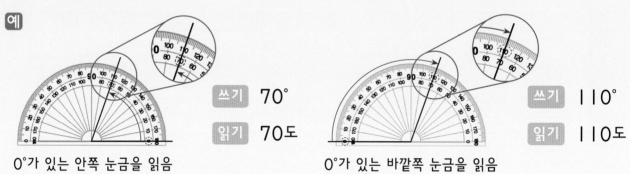

쓰기 70°

읽기 70도

0°가 있는 안쪽 눈금을 읽음

쓰기 110°

읽기 110도

0°가 있는 바깥쪽 눈금을 읽음

3 각도를 구하시오.

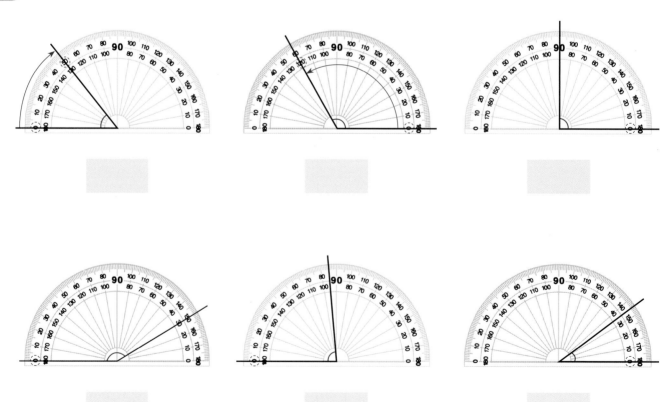

4 각도기를 이용하여 각도를 재어 보시오. 준비물 각도기

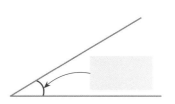

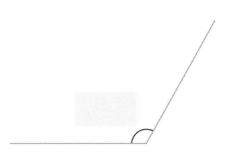

02 각 그리기

정답 11쪽

초등 4-1
2 각도

● 각도가 120°인 각 ㄱㄴㄷ 그리기

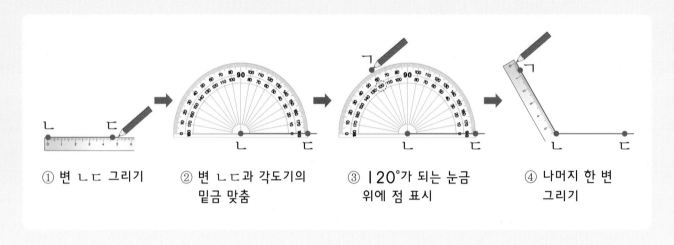

① 변 ㄴㄷ 그리기

② 변 ㄴㄷ과 각도기의 밑금 맞춤

③ 120°가 되는 눈금 위에 점 표시

④ 나머지 한 변 그리기

1 크기가 다음과 같은 각 ㄱㄴㄷ을 그릴 때 점 ㄷ을 찍어야 하는 곳에 ○표 하시오.

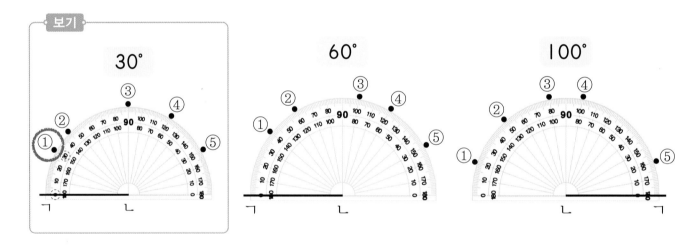

보기
30°

60°

100°

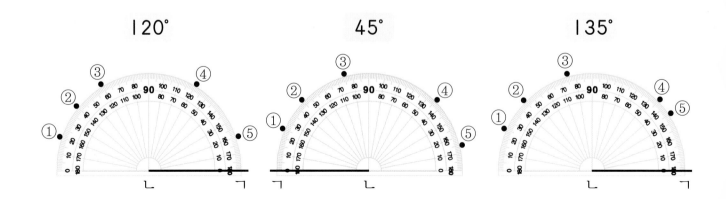

120°

45°

135°

주어진 각도와 크기가 같은 각을 각도기 위에 그려 보시오. 준비물 자

20°

110°

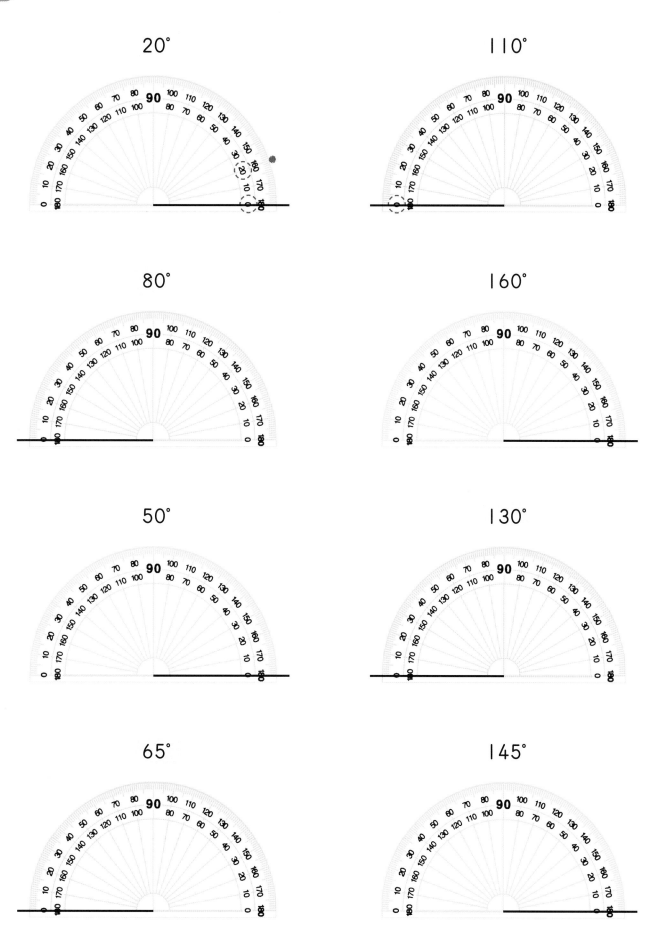

80°

160°

50°

130°

65°

145°

3 각도기와 자를 이용하여 주어진 각도와 크기와 같은 각이 되도록 짧은바늘을 그려 보시오.

준비물 각도기, 자

보기

시계 방향으로 30°

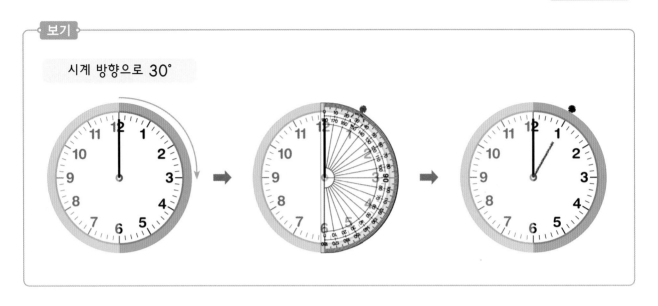

시계 방향으로 60°

시계 방향으로 90°

시계 방향으로 120°

시계 반대 방향으로 150°

4 각도기와 자를 이용하여 주어진 각도와 크기가 같은 각을 그려 보시오.  준비물 각도기, 자

30°

120°

60°

150°

45°

90°

75°

115°

03 예각과 둔각, 각도 어림하기

● 각을 크기에 따라 분류하기

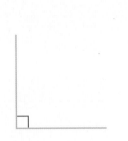

직각 = 90°

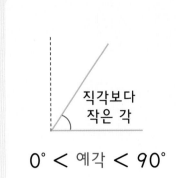

직각보다
작은 각

0° < 예각 < 90°

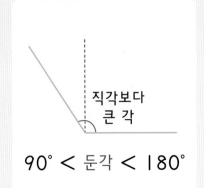

직각보다
큰 각

90° < 둔각 < 180°

1 각을 보고 예각, 둔각 중 어느 것인지 쓰시오.

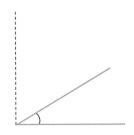

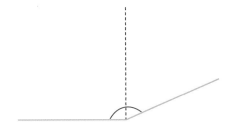

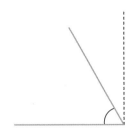

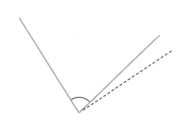

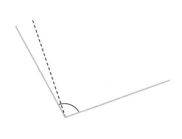

2 시계의 긴바늘과 짧은바늘이 이루는 작은 쪽의 각이 예각, 직각, 둔각 중 어느 것인지 쓰시오.

예각

3 도형에서 예각과 둔각은 각각 몇 개인지 쓰시오.

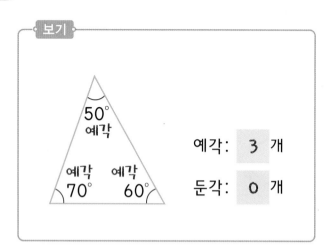

예각: 3 개

둔각: 0 개

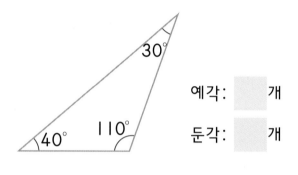

예각: ☐ 개

둔각: ☐ 개

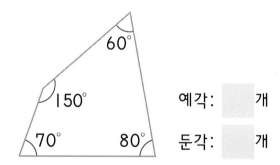

예각: ☐ 개

둔각: ☐ 개

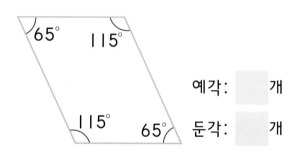

예각: ☐ 개

둔각: ☐ 개

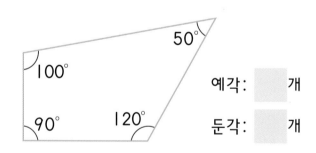

예각: ☐ 개

둔각: ☐ 개

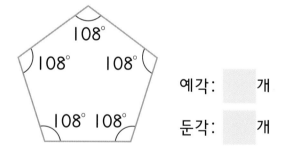

예각: ☐ 개

둔각: ☐ 개

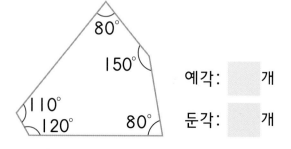

예각: ☐ 개

둔각: ☐ 개

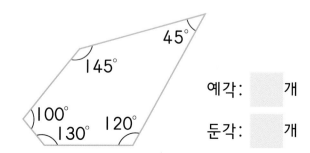

예각: ☐ 개

둔각: ☐ 개

4 각도를 어림하고 각도기로 재어 확인해 보시오.

준비물 각도기

보기

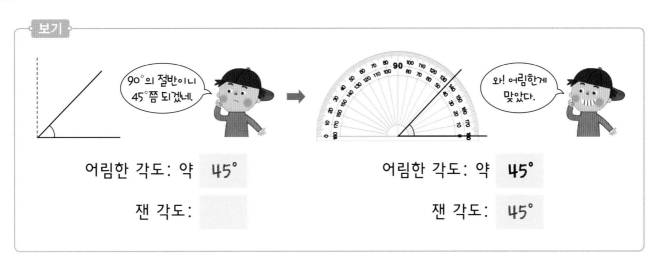

어림한 각도: 약 **45°**

잰 각도:

어림한 각도: 약 **45°**

잰 각도: **45°**

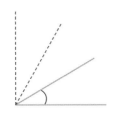

어림한 각도: 약

잰 각도:

어림한 각도: 약

잰 각도:

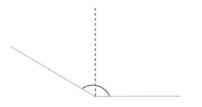

어림한 각도: 약

잰 각도:

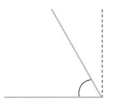

어림한 각도: 약

잰 각도:

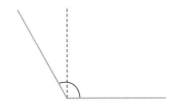

어림한 각도: 약

잰 각도:

어림한 각도: 약

잰 각도:

04 각도의 합과 차

정답 13쪽

● 각도의 합

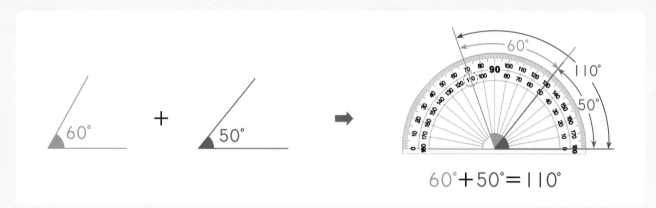

$60° + 50° = 110°$

1 두 각도의 합을 구하시오.

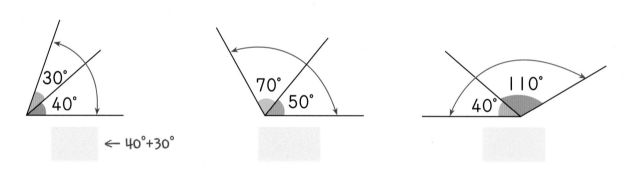

← 40°+30°

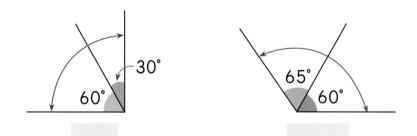

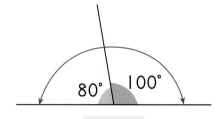

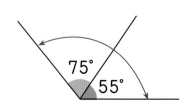

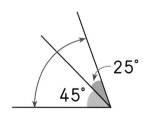

2 두 각도의 합을 구하시오.

$20° + 60° =$

$40° + 10° =$

$110° + 20° =$

$50° + 80° =$

$55° + 70° =$

$90° + 45° =$

$30° + 55° =$

$150° + 25° =$

$70° + 105° =$

$45° + 120° =$

$35° + 15° =$

$65° + 65° =$

$125° + 45° =$

$95° + 65° =$

$105° + 55° =$

$15° + 125° =$

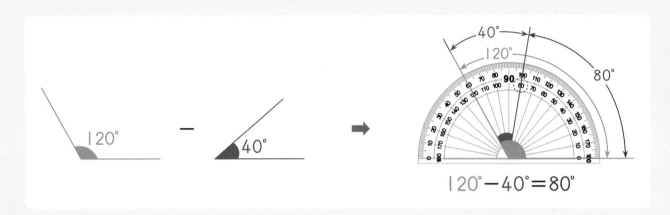

$$120° - 40° = 80°$$

3 두 각도의 차를 구하시오.

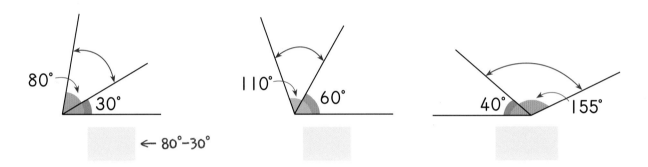

← 80°-30°

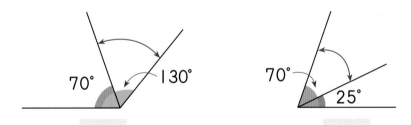

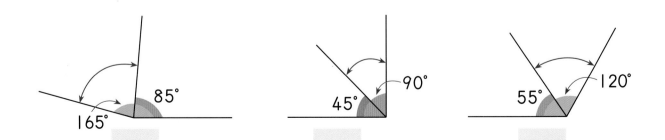

4 두 각도의 차를 구하시오.

$50° - 30° =$

$80° - 10° =$

$70° - 20° =$

$90° - 60° =$

$120° - 60° =$

$65° - 50° =$

$100° - 50° =$

$165° - 30° =$

$75° - 45° =$

$115° - 25° =$

$175° - 105° =$

$150° - 120° =$

$95° - 30° =$

$100° - 85° =$

$60° - 15° =$

$130° - 75° =$

05 삼각형의 세 각의 크기의 합, 사각형의 네 각의 크기의 합

● 삼각형의 세 각의 크기의 합은 180°입니다.

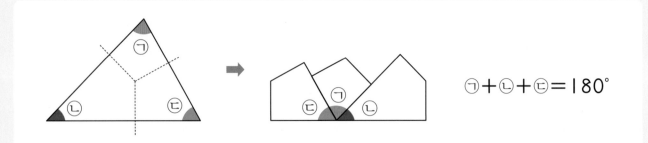

$$㉠+㉡+㉢=180°$$

1 삼각형의 세 각의 크기의 합을 구하려고 합니다. ⬜ 안에 알맞은 각도를 써넣으시오.

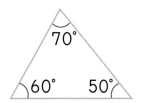

$$60°+50°+70°=\boxed{}$$

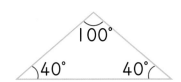

$$40°+40°+100°=\boxed{}$$

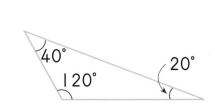

$$120°+20°+40°=\boxed{}$$

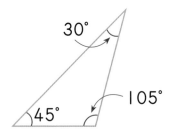

$$45°+105°+30°=\boxed{}$$

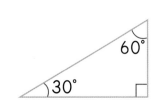

$$30°+90°+60°=\boxed{}$$

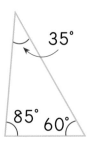

$$85°+60°+35°=\boxed{}$$

2 안에 알맞은 각도를 써넣으시오.

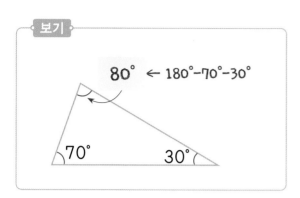

80° ← 180°-70°-30°

70°　30°

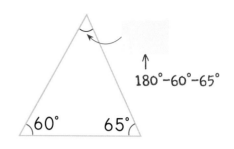

↑
180°-60°-65°

60°　65°

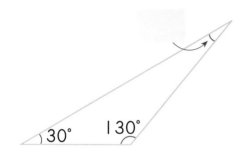

30°　130°

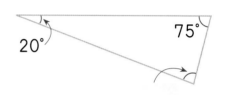

20°　75°

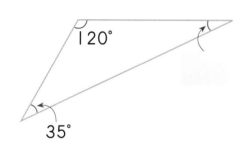

120°

35°

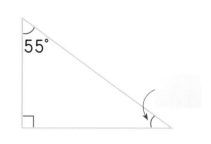

55°

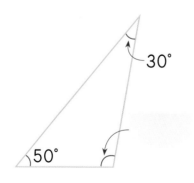

30°

50°

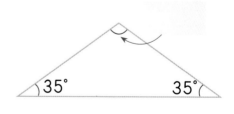

35°　35°

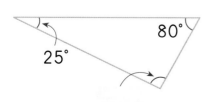

25°　80°

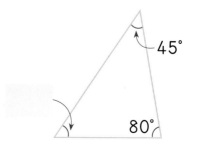

45°

80°

● 사각형의 네 각의 크기의 합은 360°입니다.

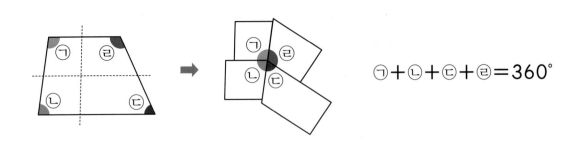

$$㉠+㉡+㉢+㉣=360°$$

3 사각형의 네 각의 크기의 합을 구하려고 합니다. ▨ 안에 알맞은 각도를 써넣으시오.

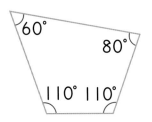

$$60°+110°+110°+80°=$$

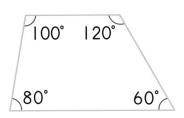

$$100°+80°+60°+120°=$$

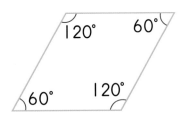

$$120°+60°+120°+60°=$$

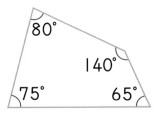

$$80°+75°+65°+140°=$$

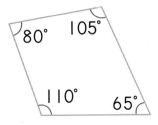

$$80°+110°+65°+105°=$$

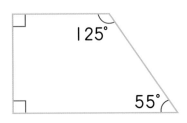

$$90°+90°+55°+125°=$$

안에 알맞은 각도를 써넣으시오.

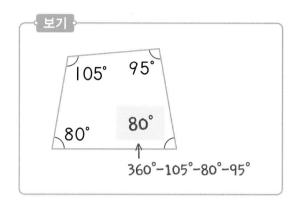

360°-105°-80°-95°

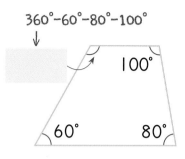

360°-60°-80°-100°

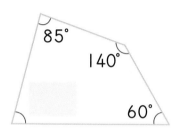

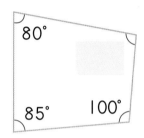

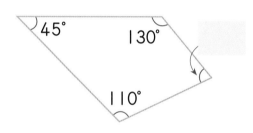

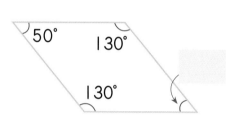

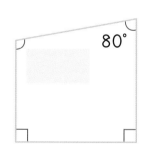

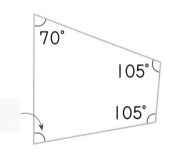

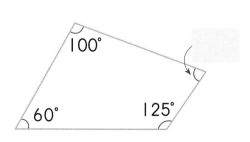

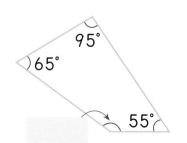

정답 15쪽

💡 직각 삼각자 2개를 이용하여 각도의 합 구하기

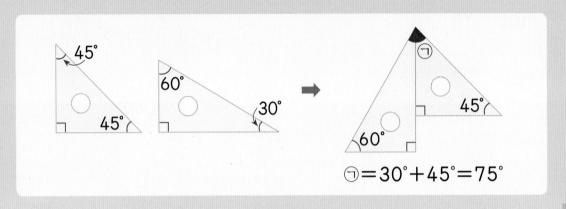

$$\bigcirc = 30° + 45° = 75°$$

응용 1 직각 삼각자 2개를 이어 붙여서 만든 각도를 구하시오.

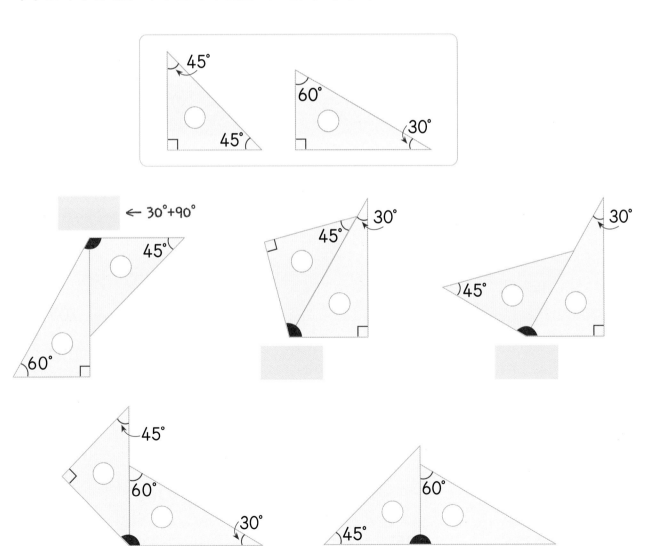

응용 **2** 직각 삼각자 2개를 겹쳐서 만든 각도를 구하시오.

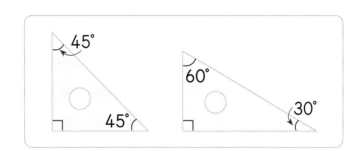

보기

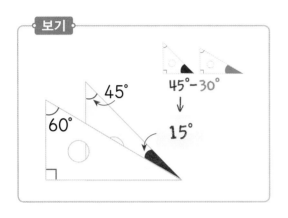

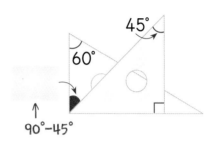

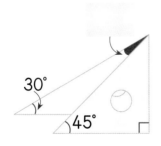

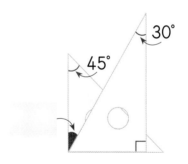

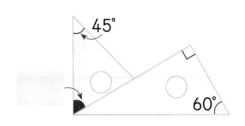

🎈 도형에서 각의 크기 구하기

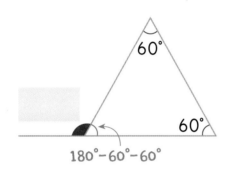

일직선은 180°
180° − 40° = 140°

140°

180° − 80° − 60°

응용 ③ ⬜ 안에 알맞은 각도를 써넣으시오.

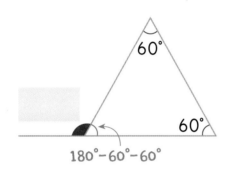

60°

60°

180° − 60° − 60°

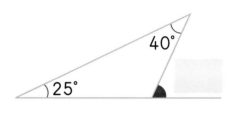

40°

25°

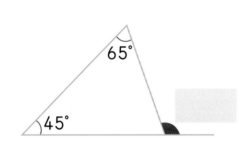

65°

45°

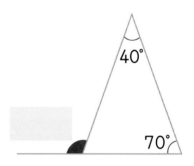

40°

70°

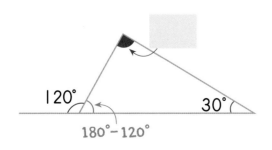

120°

30°

180° − 120°

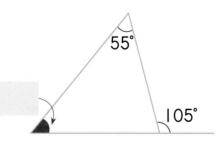

55°

105°

보기

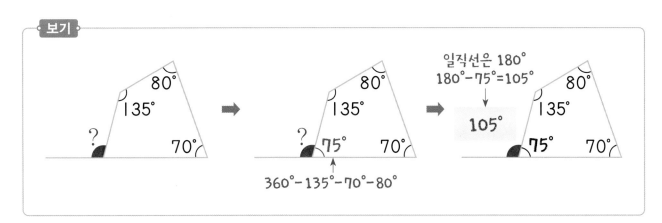

일직선은 180°
180°-75°=105°

360°-135°-70°-80°

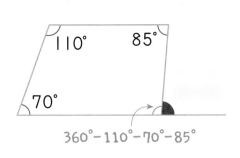

360°-110°-70°-85°

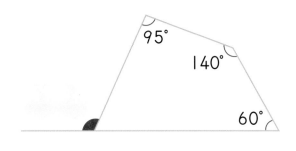

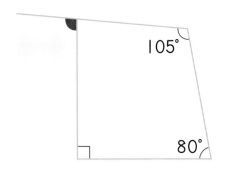

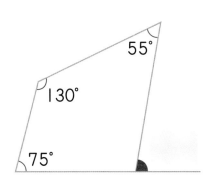

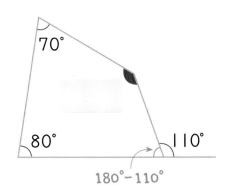

180°-110°

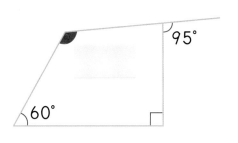

형성평가

정답 16쪽

01 두 각의 크기를 비교하여 더 큰 각을 찾아 기호를 쓰시오.

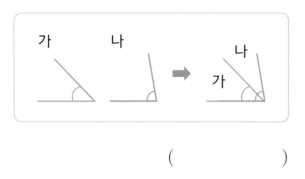

(   )

02 두 각 중 더 큰 각에 ○표 하시오.

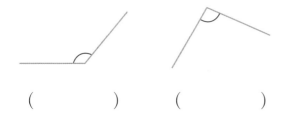

(   )   (   )

03 각도를 구하시오.

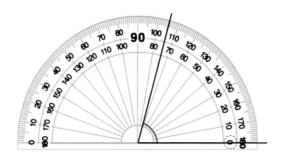

04 각도기를 이용하여 각도를 재어 보시오.

(1)

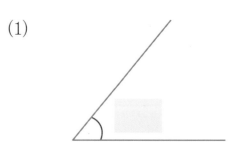

(2)

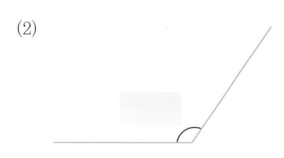

05 크기가 다음과 같은 각 ㄱㄴㄷ을 그릴 때 점 ㄷ을 찍어야 하는 곳에 ○표 하시오.

135°

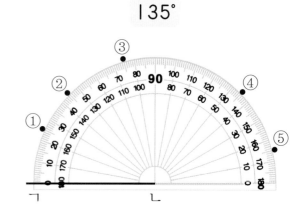

06 주어진 각도와 크기가 같은 각을 각도기 위에 그려 보시오.

(1)   70°

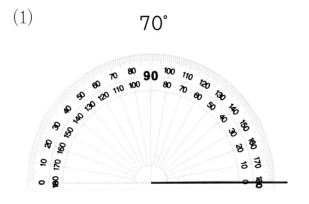

(2)   125°

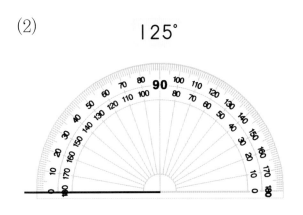

07 각도기와 자를 이용하여 주어진 각도와 크기와 같은 각이 되도록 짧은바늘을 그려 보시오.

시계 방향으로 150°

08 각도기와 자를 이용하여 주어진 각도와 크기가 같은 각을 그려 보시오.

55°

09 각을 보고 예각, 둔각 중 어느 것인지 쓰시오.

10 시계의 긴바늘과 짧은바늘이 이루는 작은 쪽의 각이 예각, 직각, 둔각 중 어느 것인지 쓰시오.

11 도형에서 예각과 둔각은 각각 몇 개인지 쓰시오.

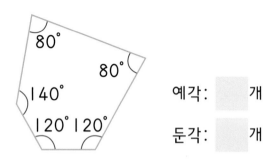

예각: ☐ 개

둔각: ☐ 개

12 각도를 어림하고 각도기로 재어 확인해 보시오.

어림한 각도: 약 ☐

잰 각도: ☐

13 두 각도의 합을 구하시오.

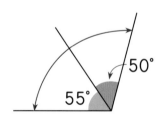

☐

14 두 각도의 합을 구하시오.

(1) $20° + 50° =$ ☐

(2) $40° + 65° =$ ☐

(3) $75° + 30° =$ ☐

(4) $45° + 85° =$ ☐

(5) $135° + 25° =$ ☐

15 두 각도의 차를 구하시오.

(1)

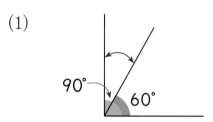

☐

(2)

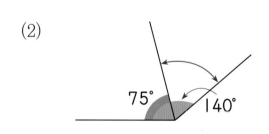

☐

16 두 각도의 차를 구하시오.

(1) $60° - 40° =$

(2) $80° - 50° =$

(3) $120° - 30° =$

(4) $115° - 45° =$

(5) $140° - 105° =$

17 삼각형의 세 각의 크기의 합을 구하려고 합니다. 안에 알맞은 각도를 써넣으시오.

(1)

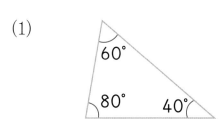

$80° + 40° + 60° =$

(2)

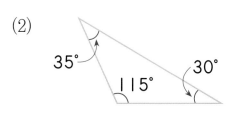

$115° + 30° + 35° =$

18 안에 알맞은 각도를 써넣으시오.

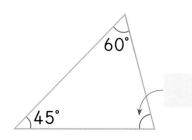

19 사각형의 네 각의 크기의 합을 구하려고 합니다. 안에 알맞은 각도를 써넣으시오.

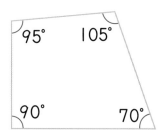

$95° + 90° + 70° + 105° =$

20 안에 알맞은 각도를 써넣으시오.

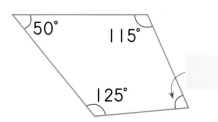

정답 17쪽

1 다음 중 가장 큰 각과 가장 작은 각을 각각 찾아 기호를 쓰시오.

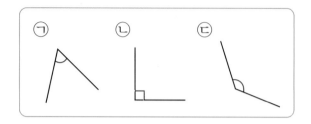

가장 큰 각 (   )

가장 작은 각 (   )

2 각도를 구하시오.

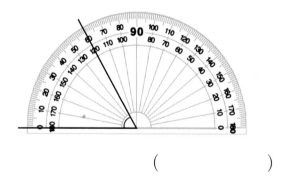

(   )

3 각도기와 자를 이용하여 각도가 $100°$ 인 각을 그려 보시오.

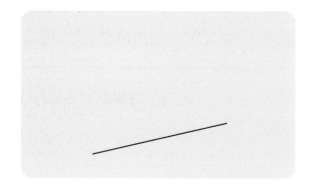

4 각을 보고 예각과 둔각 중 어느 것인지 안에 써넣으시오.

(1)

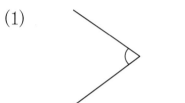

(2)

5 각도를 어림하고 각도기로 재어 확인해 보시오.

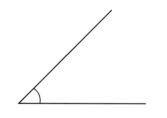

어림한 각도: 약 (   )

잰 각도: (   )

6 두 각도의 차를 구하시오.

(1)

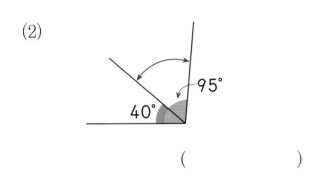

(   )

(2)

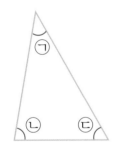

95°

40°

(   )

7 각도기로 재어   안에 알맞은 각도를 써넣으시오.

㉠+㉡+㉢

=   +   +

=

8 각도기를 이용하여 각의 크기를 재고, 주어진 선분을 이용하여 크기가 같은 각을 그려 보시오.

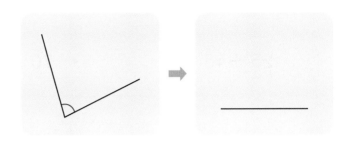

9 둔각을 모두 찾아 쓰시오.

| 150° | 70° | 15° |
| 180° | 100° | 90° |

(   )

10 도형에서 예각은 모두 몇 개입니까?

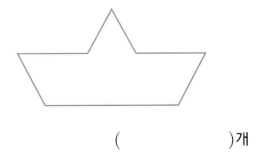

(   )개

11 관계있는 것끼리 선으로 이어 보시오.

$150° - 70°$ •　　　• $60°$

$25° + 45°$ •　　　• $70°$

$115° - 55°$ •　　　• $80°$

12 하연이는 $90°$, 주만이는 $120°$로 각도를 어림했습니다. 각도기로 재어 확인해 보고 어림을 더 잘한 사람의 이름을 쓰시오.

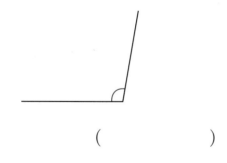

　　　　(　　　　　)

13 두 각도의 합과 차를 구하시오.

$35°$　　$120°$

　　　합 (　　　　　)
　　　차 (　　　　　)

14 삼각형의 두 각의 크기가 각각 다음과 같을 때 나머지 한 각의 크기를 구하시오.

(1)　　$45°$　　$70°$

　　　　　　(　　　　　)

(2)　　$115°$　　$25°$

　　　　　　(　　　　　)

15 ▨ 안에 알맞은 각도를 써넣으시오.

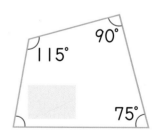

16 ⬜ 안에 알맞은 각도를 써넣으시오.

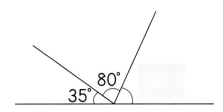

17 주호가 집에 도착하여 시계를 보니 4시 30분이었습니다. 시계의 긴바늘과 짧은 바늘이 이루는 작은 쪽의 각은 예각, 직각, 둔각 중 어느 것입니까?

(   )

18 직각 삼각자 2개를 이용하여 만든 것입니다. ㉠의 각도를 구하시오.

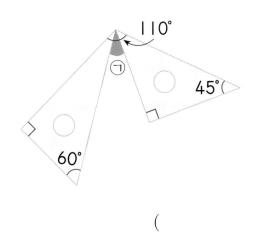

(   )

19 각도가 가장 큰 것을 찾아 기호를 쓰려고 합니다. 풀이 과정을 쓰고 답을 구하시오.

㉠ $15° + 60°$ ㉡ $150° - 90°$
㉢ $125° - 45°$ ㉣ $30° + 40°$

풀이 _____

_____

_____

답 _____

20 삼각형에서 ㉠은 몇 도인지 구하시오.

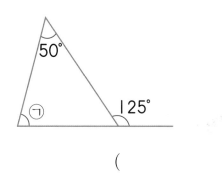

(   )

memo

논리적 사고력과 창의적 문제해결력을 키워 주는
매스티안 교재 활용법!

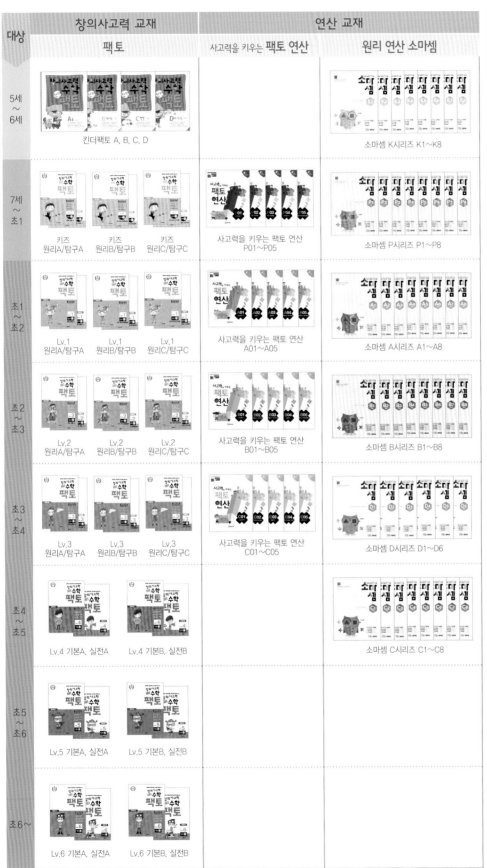

대상	창의사고력 교재 팩토			연산 교재 사고력을 키우는 팩토 연산	원리 연산 소마셈
5세~6세	킨더팩토 A, B, C, D				소마셈 K시리즈 K1~K8
7세~초1	키즈 원리A/탐구A	키즈 원리B/탐구B	키즈 원리C/탐구C	사고력을 키우는 팩토 연산 P01~P05	소마셈 P시리즈 P1~P8
초1~초2	Lv.1 원리A/탐구A	Lv.1 원리B/탐구B	Lv.1 원리C/탐구C	사고력을 키우는 팩토 연산 A01~A05	소마셈 A시리즈 A1~A8
초2~초3	Lv.2 원리A/탐구A	Lv.2 원리B/탐구B	Lv.2 원리C/탐구C	사고력을 키우는 팩토 연산 B01~B05	소마셈 B시리즈 B1~B8
초3~초4	Lv.3 원리A/탐구A	Lv.3 원리B/탐구B	Lv.3 원리C/탐구C	사고력을 키우는 팩토 연산 C01~C05	소마셈 D시리즈 D1~D6
초4~초5	Lv.4 기본A, 실전A	Lv.4 기본B, 실전B			소마셈 C시리즈 C1~C8
초5~초6	Lv.5 기본A, 실전A	Lv.5 기본B, 실전B			
초6~	Lv.6 기본A, 실전A	Lv.6 기본B, 실전B			

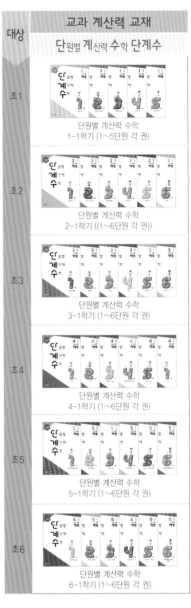

대상	교과 계산력 교재 단원별 계산력 수학 단계수
초1	단원별 계산력 수학 1-1학기 (1~5단원 각 권)
초2	단원별 계산력 수학 2-1학기 ((1~6단원 각 권))
초3	단원별 계산력 수학 3-1학기 (1~6단원 각 권)
초4	단원별 계산력 수학 4-1학기 (1~6단원 각 권)
초5	단원별 계산력 수학 5-1학기 (1~6단원 각 권)
초6	단원별 계산력 수학 6-1학기 (1~6단원 각 권)

대상	교과 수학 교재	
	1학기	2학기
초1	팩토 수학교과서/익힘책 1-1	팩토 수학교과서/익힘책 1-2
초2	팩토 수학교과서/익힘책 2-1	팩토 수학교과서/익힘책 2-2

단계수 학습 순서

매일 학습

단원별로 꼭 알아야 할 개념만 쏙쏙 학습하고 다양한 연산 문제를 통해 연산 과정을 숙달하여 계산력을 쑥쑥 키울 수 있습니다.

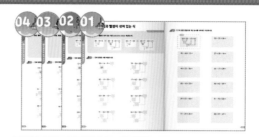

도전! 응용문제

응용 문제와 **서술형** 문제를 통해 사고력과 문제해결력을 기를 수 있습니다.

형성 평가

단원의 **복습 단계**로 문제를 풀면서 학습한 내용을 다시 한 번 확인할 수 있습니다.

단원 평가

단원의 **마무리 학습**으로 학교 시험에 자주 나오는 문제를 통해 수시 평가 등 학교 시험에 대비할 수 있습니다.

매스티안 http://www.mathtian.com

자율안전확인신고필증번호 : B361H200-4001

1. 주소 : 06153 서울특별시 강남구 봉은사로 442 (삼성동)
2. 문의전화 : 1588-6066
3. 제조국 : 대한민국
4. 사용연령 : 11세 이상

※ KC마크는 이 제품이 공통안전기준에 적합하였음을 의미합니다.

⚠ 주의

종이, 모서리에 다칠 수 있으니 주의하세요!

	초등학교		반	번
이름				

단원별

4-1
초등 수학
팩토

계산력

수학

단원

곱셈과 나눗셈

팩토는 자유롭게 자신감있게 창의적으로 생각하는 주니어수학자입니다.

단원별 **계**산 **력** **수**학

펴낸 곳 (주)타임교육C&P   **펴낸이** 이길호   **지은이** 매스티안R&D센터
주소 06153 서울특별시 강남구 봉은사로 442 (삼성동)   **문의전화** 1588.6066
팩토카페 http://cafe.naver.com/factos   **홈페이지** http://www.mathtian.com

※ 이 책의 모든 내용과 삽화에 대한 저작권은 (주)타임교육C&P에 있으므로 무단 복제와 전송을 금합니다.
※ 정답과 풀이는 온라인 팩토카페(http://cafe.naver.com/factos)를 통해서도 확인할 수 있습니다.

생각이 자유로운 사람들! 매스티안R&D센터
매스티안R&D센터의 논리적 사고력과 창의적 문제해결력을 키우는 수학 콘텐츠는 국내외 수많은 교육 현장에서 그 우수성을 높이 평가받고 있습니다.
매스티안R&D센터는 여기에 안주하지 않고 앞으로도 학생, 교사, 학부모 모두가 행복한 수학 시간을 만들 수 있도록 노력하겠습니다.

매스티안 공식 홈페이지 ··· (http://www.mathtian.com)

· 매스티안의 다양한 출간 교재 소개

· 출간 교재와 관련된 학습 자료(보충 학습지, 활동지 등) 제공

· 출간 교재와 관련된 평가 시험 및 분석 제공

매스티안 공식 카페 ··· 팩토 (http://cafe.naver.com/factos)

· 창의사고력 수학 팩토 무료 동영상 강의 제공

· 출간 교재에 관한 질문 및 답변

· 영재교육원 대비 자료(기출 문제, 예상 문제) 제공

· 초등 수학 비법 및 Q&A

FACTO school

4-1

초등 수학
팩토

단원별 산력 단계 수학

단원

곱셈과 나눗셈

매스타안

3 곱셈과 나눗셈

Teaching Guide

나눗셈 문장제 해결에서 어려운 부분 중의 하나는 나머지를 처리하는 방법입니다. 문제 맥락에 따라 나머지를 버림으로 처리하거나 올림으로 처리할 수 있는 경우가 생길 수 있다는 점에 주의하고, 다양한 상황을 제시하여 아이들 스스로 나머지를 처리할 수 있도록 지도합니다.

예시 문제 공책 46권이 있습니다. 공책을 8권씩 묶어서 한 묶음씩 판매할 때 팔 수 있는 공책은 몇 묶음입니까?

해설 $46 \div 8 = 5 \cdots 6$입니다. 따라서 한 묶음은 8권이므로 나머지 공책 6권으로는 한 묶음을 만들어 팔 수 없으므로 나머지는 버립니다. 따라서 정답은 5묶음입니다.

3. 덧셈과 뺄셈
· 두 자리 수의 덧셈과 뺄셈
· 세 수의 계산

1. 덧셈과 뺄셈
· 세 자리 수의 덧셈과 뺄셈

1. 자연수의 혼합 계산
· 괄호가 없을 때와 있을 때의 덧셈, 뺄셈, 곱셈, 나눗셈의 혼합 계산

5-1

3-2

1. 곱셈
· (세 자리 수)×(한 자리 수)
· (두 자리 수)×(두 자리 수)

3-2

2. 나눗셈
· (두 자리 수)÷(한 자리 수)
· (세 자리 수)÷(한 자리 수)

3. 곱셈과 나눗셈

4-1

· (세 자리 수)×(두 자리 수)
· (두 자리 수)÷(두 자리 수)
· (세 자리 수)÷(두 자리 수)

중학 1-1
정수의 계산

공부한 날짜

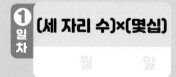

1일차 (세 자리 수)×(몇십)
월 　 일

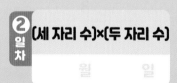

2일차 (세 자리 수)×(두 자리 수)
월 　 일

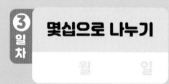

3일차 몇십으로 나누기
월 　 일

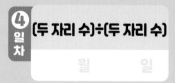

4일차 (두 자리 수)÷(두 자리 수)
월 　 일

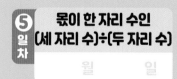

5일차 몫이 한 자리 수인 (세 자리 수)÷(두 자리 수)
월 　 일

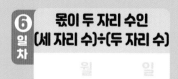

6일차 몫이 두 자리 수인 (세 자리 수)÷(두 자리 수)
월 　 일

7일차 응용 문제
월 　 일

8일차 형성 평가
월 　 일

9일차 단원 평가
월 　 일

01 (세 자리 수)×(몇십)

정답 18쪽

● 356×20 알아보기

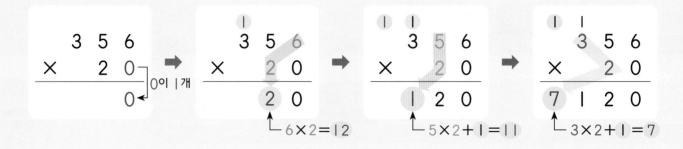

```
  3 5 6          1            1 1          1 1
×   2 0    →   3 5 6    →   3 5 6    →   3 5 6
        0이 1개  ×   2 0        ×   2 0        ×   2 0
      0↙           2 0         1 2 0       7 1 2 0
                └6×2=12      └5×2+1=11    └3×2+1=7
```

① 곱셈을 하시오.

보기
```
    2 0 0
  ×   4 0    0이 3개
    8 0 0 0↙
```

```
    3 0 0
  ×   3 0
    0 0 0
```

```
    5 0 0
  ×   4 0
```

```
    3 0 0
  ×   6 0
```

```
    2 0 0
  ×   8 0
```

```
    7 0 0
  ×   2 0
```

```
    5 0 0
  ×   5 0
```

```
    6 0 0
  ×   4 0
```

```
    9 0 0
  ×   3 0
```

```
    8 0 0
  ×   4 0
```

```
    4 0 0
  ×   7 0
```

```
    5 0 0
  ×   9 0
```

2 곱셈을 하시오.

```
1
      1  5  0              5  2  0              2  6  0
   ×     3  0           ×     4  0           ×     5  0
      5  0  0                 0  0                 0  0
```

```
      4  6  3              7  2  6              3  5  8
   ×     2  0           ×     3  0           ×     6  0
               0
```

```
      1  9  5              6  3  9              4  9  7
   ×     8  0           ×     3  0           ×     6  0
```

```
      5  0  6              2  4  3              9  6  8
   ×     7  0           ×     5  0           ×     2  0
```

```
      7  5  3              3  1  9              8  0  6
   ×     6  0           ×     8  0           ×     7  0
```

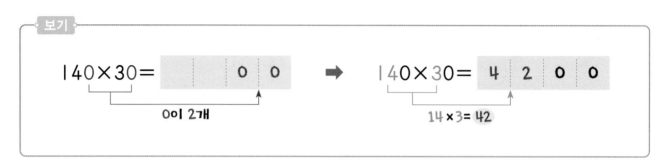

보기

$140 \times 30 =$ ▢▢▢ 0 0 ➡ $140 \times 30 =$ 4 2 0 0

0이 2개

$14 \times 3 = 42$

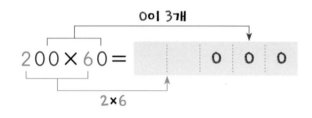

0이 3개

$200 \times 60 =$ ▢▢ 0 0 0

2×6

$250 \times 30 =$ ▢▢▢ 0 0

25×3

$700 \times 30 =$ ▢▢ 0 0 0

$640 \times 20 =$ ▢▢▢ 0 0

$380 \times 50 =$

$410 \times 30 =$

$230 \times 60 =$

$518 \times 40 =$

$692 \times 40 =$

$705 \times 80 =$

$853 \times 30 =$

$196 \times 70 =$

$438 \times 40 =$

$284 \times 50 =$

4 곱셈 실력을 점검해 보시오.

1.
```
    5 0 0
  ×   2 0
```

2.
```
    4 0 0
  ×   8 0
```

3.
```
    9 0 0
  ×   7 0
```

4.
```
    1 2 0
  ×   4 0
```

5.
```
    3 6 0
  ×   3 0
```

6.
```
    7 4 0
  ×   5 0
```

7.
```
    2 4 1
  ×   3 0
```

8.
```
    4 0 9
  ×   5 0
```

9.
```
    5 1 7
  ×   6 0
```

10.
```
    9 5 8
  ×   4 0
```

11.
```
    3 2 6
  ×   7 0
```

12.
```
    5 8 6
  ×   3 0
```

13. 600×80

14. 800×50

15. 170×30

16. 290×20

17. 143×70

18. 491×50

19. 365×60

20. 509×80

수고하셨습니다!

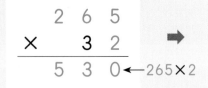

02 (세 자리 수)×(두 자리 수)

정답 19쪽

● 265×32 알아보기

```
    2 6 5
  ×   3 2
    5 3 0   ←265×2
```
➡
```
    2 6 5
  ×   3 2
    5 3 0
  7 9 5 0   ←265×30
```
➡
```
    2 6 5
  ×   3 2
    5 3 0
  7 9 5 0
  8 4 8 0
```
0을 생략하여 나타낼 수 있음

530+7950

1 안에 알맞은 수를 써넣으시오.

```
    1 5 4
  ×   2 5
    7 7 0
```

```
    1 5 4
  ×     5
    7 7 0
```

```
    1 0 7
  ×   6 3
```

```
    1 0 7
  ×     3
```

```
    1 5 4
  ×   2 0
```

```
    1 0 7
  ×   6 0
```

```
    3 6 9
  ×   2 7
```

```
    3 6 9
  ×     7
```

```
    4 2 5
  ×   1 6
```

```
    4 2 5
  ×     6
```

```
    3 6 9
  ×   2 0
```

```
    4 2 5
  ×   1 0
```

```
    2 3 6
  ×   2 4
    9 4 4   ← 236×4
  4 7 2 0   ← 236×20
  5 6 6 4   ← 944+4720
```

```
    2 9 6
  ×   1 5
            ← 296×5
            ← 296×10
```

```
    1 3 9
  ×   6 7
            ← 139×7
            ← 139×60
```

```
    3 8 0
  ×   4 2
            ← 380×2
            ← 380×40
```

```
    6 1 9
  ×   5 3
```

```
    4 4 5
  ×   3 9
```

```
    5 9 2
  ×   2 7
```

```
    9 0 6
  ×   8 5
```

$$\begin{array}{r} 314 \\ \times\ \ 42 \\ \hline \end{array}$$

$$\begin{array}{r} 217 \\ \times\ \ 53 \\ \hline \end{array}$$

$$\begin{array}{r} 531 \\ \times\ \ 28 \\ \hline \end{array}$$

$$\begin{array}{r} 590 \\ \times\ \ 29 \\ \hline \end{array}$$

$$\begin{array}{r} 247 \\ \times\ \ 69 \\ \hline \end{array}$$

$$\begin{array}{r} 864 \\ \times\ \ 36 \\ \hline \end{array}$$

$$\begin{array}{r} 708 \\ \times\ \ 92 \\ \hline \end{array}$$

$$\begin{array}{r} 395 \\ \times\ \ 37 \\ \hline \end{array}$$

$$\begin{array}{r} 479 \\ \times\ \ 81 \\ \hline \end{array}$$

$$\begin{array}{r} 925 \\ \times\ \ 33 \\ \hline \end{array}$$

$$\begin{array}{r} 751 \\ \times\ \ 58 \\ \hline \end{array}$$

$$\begin{array}{r} 679 \\ \times\ \ 64 \\ \hline \end{array}$$

4 계산 결과가 같은 칸을 찾아 해당하는 글자를 써넣어 수수께끼를 해결해 보시오.

둑
```
    1 3 7
  ×   2 6
  ─────────
    8 2 2
  2 7 4
  ─────────
  3 5 6 2
```

은
```
    3 6 0
  ×   1 7
```

슬
```
    2 3 4
  ×   7 5
```

돈
```
    5 9 2
  ×   3 8
```

도
```
    9 1 1
  ×   7 2
```

훔
```
    1 8 7
  ×   5 3
```

친
```
    2 0 8
  ×   9 4
```

이
```
    6 9 0
  ×   4 1
```

쩍
```
    5 1 8
  ×   2 9
```

65592	3562	28290		17550	15022
	둑				

9911	19552		22496	6120
					?

수수께끼 답 ➡

03 🐦 몇십으로 나누기

● 140÷20 알아보기

잘못된 계산	바른 계산	잘못된 계산

잘못된 계산

```
        6
  20)1 4 0
나누는 수↗ 1 2 0 ←20×6
        2 0 ←나머지
```

이유 (나누는 수)=(나머지) 이므로 한 번 더 나눌 수 있음

바른 계산

```
        7 ←몫
  20)1 4 0
나누는 수↗ 1 4 0 ←20×7
        0 ←나머지
```

140에는 20이 최대 7번 들어감

잘못된 계산

```
        8
  20)1 4 0
     1 6 0 ←20×8
```

이유 140−160을 계산할 수 없음

1 안에 알맞은 수를 써넣으시오.

보기

$30 \times 8 = 240$

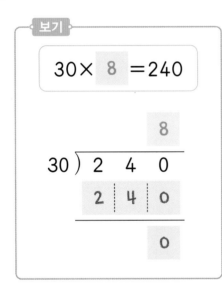

```
          8
  30)2 4 0
     2 4 0
          0
```

$50 \times 7 = 350$

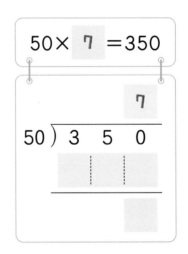

```
        7
  50)3 5 0
```

$40 \times 3 = 120$

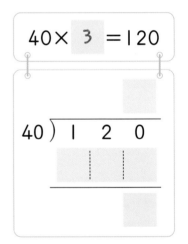

```
  40)1 2 0
```

$60 \times = 480$

```
  60)4 8 0
```

$90 \times = 720$

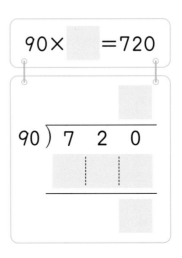

```
  90)7 2 0
```

$70 \times = 490$

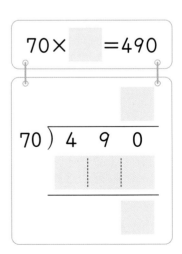

```
  70)4 9 0
```

$20\overline{)180}$

$50\overline{)200}$

$40\overline{)280}$

$30\overline{)150}$

$60\overline{)360}$

$70\overline{)140}$

$90\overline{)450}$

$80\overline{)640}$

$50\overline{)250}$

$20\overline{)100}$

$80\overline{)480}$

$60\overline{)540}$

$70\overline{)560}$

$40\overline{)160}$

$90\overline{)630}$

● 152÷30 알아보기

```
          4
30 ) 1 5 2
     1 2 0  ← 30×4
        3 2  ← 나머지
```
나누는 수↗

이유 (나누는 수)<(나머지)
이므로 한 번 더 나눌
수 있음

```
          5  ← 몫
30 ) 1 5 2
     1 5 0  ← 30×5
           2  ← 나머지
```
나누는 수↗

152에는 30이
최대 5번 들어감

```
          6
30 ) 1 5 2
     1 8 0  ← 30×6
```

이유 152−180을
계산할 수 없음

---

3 ▨ 안에 알맞은 수를 써넣으시오.

보기

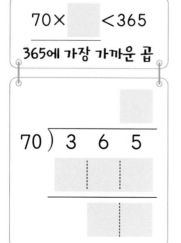

40× 4 <168

168에 가장 가까운 곱

```
            4
40 ) 1 6 8
     1 6 0
            8
```

50× 5 <256

256에 가장 가까운 곱

```
            5
50 ) 2 5 6

```

20×   <149

149에 가장 가까운 곱

```

20 ) 1 4 9

```

70×   <365

365에 가장 가까운 곱

```

70 ) 3 6 5

```

30×   <207

207에 가장 가까운 곱

```

30 ) 2 0 7

```

90×   <641

641에 가장 가까운 곱

```

90 ) 6 4 1

```

4 계산을 하고 검산해 보시오.

보기

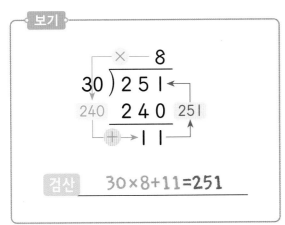

검산 30×8+11=251

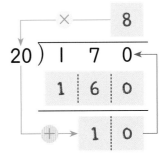

검산 _____

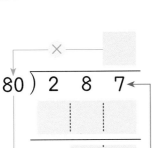

검산 _____

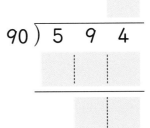

검산 _____

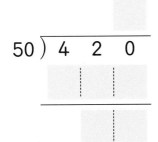

검산 _____

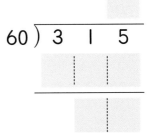

검산 _____

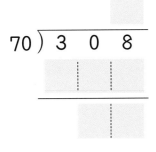

검산 _____

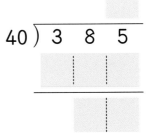

검산 _____

04 (두 자리 수)÷(두 자리 수)

● 52÷13 알아보기

잘못된 계산

```
      3
13) 5 2
    3 9  ← 13×3
    1 3  ← 나머지
```
나누는 수

이유 (나누는 수)=(나머지)
이므로 한 번 더 나눌
수 있음

바른 계산

```
      4  ← 몫
13) 5 2
    5 2  ← 13×4
      0  ← 나머지
```
나누는 수

52에는 13이
최대 4번 들어감

잘못된 계산

```
      5
13) 5 2
    6 5  ← 13×5
```

이유 52−65를 계산할
수 없음

1 안에 알맞은 수를 써넣으시오.

보기

$17 × \boxed{4} = 68$

```
        4
17) 6  8
    6  8
       0
```

$21 × \boxed{3} = 63$

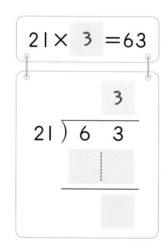

$35 × \boxed{2} = 70$

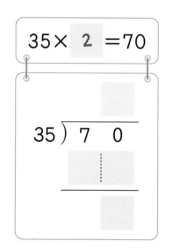

$45 × \boxed{} = 90$

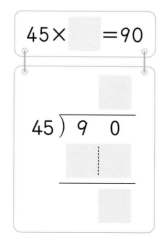

$14 × \boxed{} = 84$

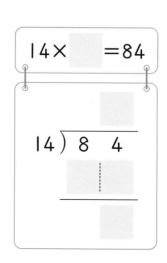

$23 × \boxed{} = 92$

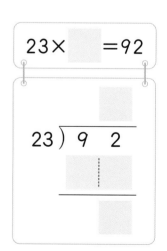

$32\overline{)96}$

$14\overline{)98}$

$17\overline{)85}$

$13\overline{)91}$

$16\overline{)80}$

$26\overline{)78}$

$22\overline{)88}$

$25\overline{)75}$

$16\overline{)48}$

$15\overline{)90}$

$42\overline{)84}$

$12\overline{)96}$

$28\overline{)84}$

$31\overline{)93}$

$19\overline{)76}$

● 84÷13 알아보기

잘못된 계산

```
        5
   ────────
13 ) 8 4
     6 5  ← 13×5
   ────────
     1 9  ← 나머지
```
나누는 수

이유 (나누는 수)<(나머지)
이므로 한 번 더 나눌
수 있음

바른 계산

```
        6  ← 몫
   ────────
13 ) 8 4
     7 8  ← 13×6
   ────────
       6  ← 나머지
```
나누는 수

84에는 13이
최대 6번 들어감

잘못된 계산

```
        7
   ────────
13 ) 8 4
     9 1  ← 13×7
```

이유 84−91을 계산할
수 없음

---

3 ☐ 안에 알맞은 수를 써넣으시오.

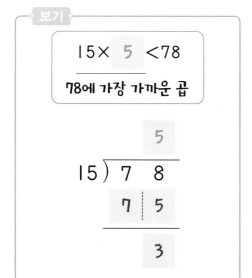

보기

```
15 ×  5  < 78
─────────────
78에 가장 가까운 곱

        5
   ──────────
15 ) 7   8
     7 | 5
   ──────────
         3
```

```
23 ×  4  < 95
─────────────
95에 가장 가까운 곱

        4
   ──────────
23 ) 9   5
```

```
12 ×    < 69
─────────────
69에 가장 가까운 곱

   ──────────
12 ) 6   9
```

```
41 ×    < 86
─────────────
86에 가장 가까운 곱

   ──────────
41 ) 8   6
```

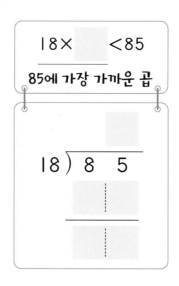

```
18 ×    < 85
─────────────
85에 가장 가까운 곱

   ──────────
18 ) 8   5
```

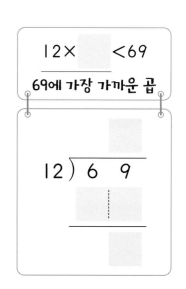

```
32 ×    < 93
─────────────
93에 가장 가까운 곱

   ──────────
32 ) 9   3
```

4 계산을 하고 검산해 보시오.

보기

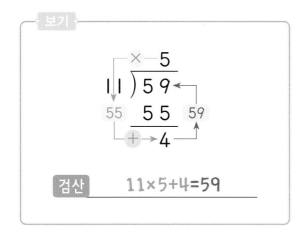

검산 11×5+4=59

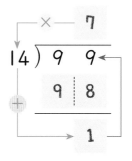

검산 _____

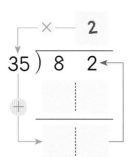

검산 _____

19) 8 1

검산 _____

17) 9 0

검산 _____

22) 8 1

검산 _____

31) 7 9

검산 _____

13) 6 8

검산 _____

05 몫이 한 자리 수인 (세 자리 수)÷(두 자리 수)

정답 22쪽

● 156÷52 알아보기

<table>
<tr><td>잘못된 계산</td><td>바른 계산</td><td>잘못된 계산</td></tr>
</table>

잘못된 계산

$$52\overline{)156}$$ 몫 2

104 ← 52×2

52 ← 나머지

나누는 수

이유 (나누는 수)=(나머지) 이므로 한 번 더 나눌 수 있음

바른 계산

3 ← 몫

$$52\overline{)156}$$

156 ← 52×3

0 ← 나머지

나누는 수

156에는 52가 최대 3번 들어감

잘못된 계산

4

$$52\overline{)156}$$

208 ← 52×4

이유 156−208을 계산할 수 없음

1 ☐ 안에 알맞은 수를 써넣으시오.

보기

$$32\times \boxed{6}=192$$

6

$$32\overline{)192}$$

1 9 2

0

$$54\times \boxed{8}=432$$

8

$$54\overline{)432}$$

$$45\times \boxed{4}=180$$

$$45\overline{)180}$$

$$63\times\boxed{}=315$$

$$63\overline{)315}$$

$$27\times\boxed{}=189$$

$$27\overline{)189}$$

$$96\times\boxed{}=576$$

$$96\overline{)576}$$

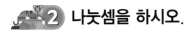

$$52 \overline{)260}$$

$$17 \overline{)153}$$

$$36 \overline{)252}$$

$$31 \overline{)186}$$

$$25 \overline{)200}$$

$$49 \overline{)441}$$

$$47 \overline{)141}$$

$$68 \overline{)272}$$

$$33 \overline{)297}$$

$$23 \overline{)207}$$

$$94 \overline{)470}$$

$$59 \overline{)354}$$

$$82 \overline{)492}$$

$$76 \overline{)532}$$

$$91 \overline{)728}$$

● 164÷52 알아보기

잘못된 계산

```
          2
52 ) 1 6 4
     1 0 4  ← 52×2
        6 0  ← 나머지
```
나누는 수 ↑

이유 (나누는 수)<(나머지)
이므로 한 번 더 나눌
수 있음

바른 계산

```
          3  ← 몫
52 ) 1 6 4
     1 5 6  ← 52×3
          8  ← 나머지
```
나누는 수 ↑

164에는 52가
최대 3번 들어감

잘못된 계산

```
          4
52 ) 1 6 4
     2 0 8  ← 52×4
```

이유 164−208을
계산할 수 없음

3 　안에 알맞은 수를 써넣으시오.

보기

23× **6** <150
150에 가장 가까운 곱

```
            6
23 ) 1   5   0
     1 | 3 | 8
         1 | 2
```

41× **3** <128
128에 가장 가까운 곱

```
            3
41 ) 1   2   8
```

17×　<141
141에 가장 가까운 곱

```
17 ) 1   4   1
```

58×　<303
303에 가장 가까운 곱

```
58 ) 3   0   3
```

36×　<172
172에 가장 가까운 곱

```
36 ) 1   7   2
```

65×　<538
538에 가장 가까운 곱

```
65 ) 5   3   8
```

4 계산을 하고 검산해 보시오.

보기

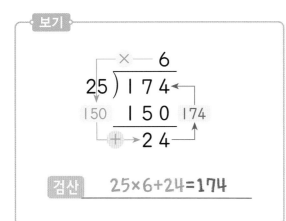

검산   25×6+24=174

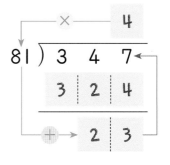

검산 _____

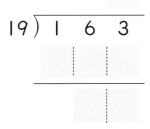

검산 _____

54) 2 9 6

검산 _____

19) 1 6 3

검산 _____

48) 3 5 0

검산 _____

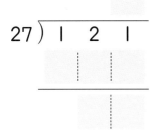

검산 _____

66) 3 4 3

검산 _____

06 몫이 두 자리 수인 (세 자리 수)÷(두 자리 수)

정답 23쪽

● 312÷13 알아보기

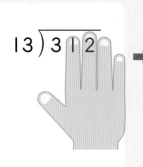 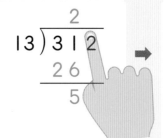

| 3은 13으로 나눌 수 없음 | 31에는 13이 최대 2번 들어감 | 남은 수를 구함 312-260=52 | 52에는 13이 최대 4번 들어감 |

1 빈칸에 알맞은 수를 써넣으시오.

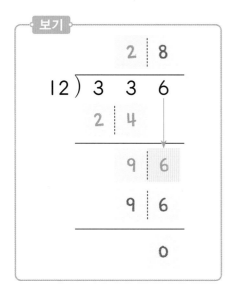

보기

```
      2 8
12) 3 3 6
    2 4
    ─────
      9 6
      9 6
    ─────
        0
```

```
       1
35) 3 8 5
    3 5
    ─────
      3
```

```
       1
28) 5 3 2
```

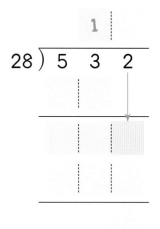

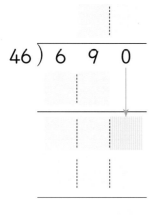
```
46) 6 9 0
```

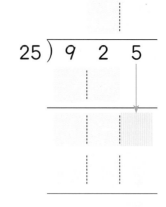
```
25) 9 2 5
```

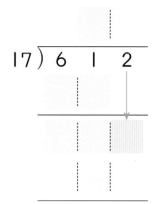
```
17) 6 1 2
```

24

2 나눗셈을 하시오.

12)504

34)408

26)650

45)720

17)442

52)988

23)828

38)494

19)741

28)644

29)899

56)840

25

● 516÷31 알아보기

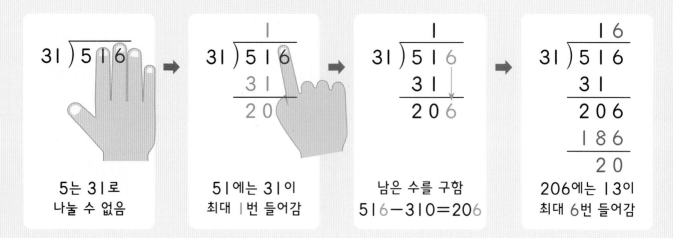

31)516	31)516	31)516	31)516
5는 31로 나눌 수 없음	51에는 31이 최대 1번 들어감	남은 수를 구함 516−310=206	206에는 13이 최대 6번 들어감

3 빈칸에 알맞은 수를 써넣으시오.

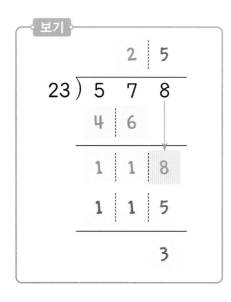

보기

```
        2 5
23 ) 5 7 8
     4 6
   ────────
     1 1 8
     1 1 5
   ────────
           3
```

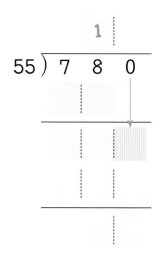

```
        1
16 ) 1 9 5
     1 6
   ────────
       3
```

```
        1
55 ) 7 8 0
```

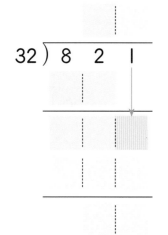

```
32 ) 8 2 1
```

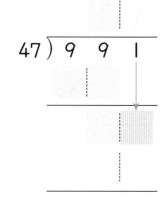

```
47 ) 9 9 1
```

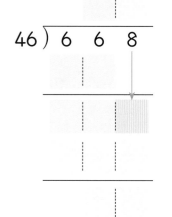

```
46 ) 6 6 8
```

계산을 하고 검산해 보시오.

보기

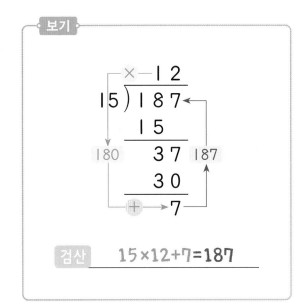

검산   15 × 12 + 7 = 187

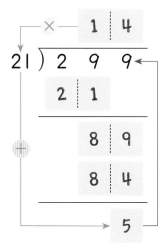

검산 _____

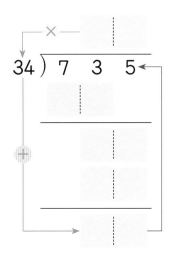

검산 _____

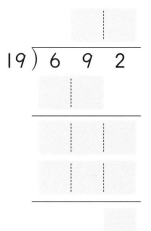

검산 _____

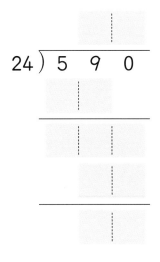

검산 _____

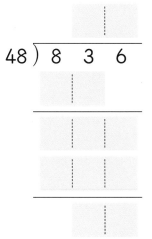

검산 _____

정답 24쪽

농장에서 수확한 밤을 한 상자에 ㉠350㉡개씩 담았습니다. ㉠40㉡상자에는 밤이 모두 몇 개 들어 있습니까?

▶ 주어진 수에 ○표 하고, 구하는 것에 밑줄 치기

한 상자에 담은 밤의 수: 350 개, 상자의 수: 상자

▶ 문제 해결하기

한 상자에 담은 밤의 수와 상자의 수를 (곱합니다 , 나눕니다).

▶ 문제 풀기

(전체 밤의 수)＝(한 상자에 담은 밤의 수)×(상자의 수)

＝   ×   =   (개)

▶ 답 쓰기

밤이 모두   개 들어 있습니다.

마트에서 한 봉지에 980원 하는 사탕을 24봉지 샀습니다. 마트에서 산 사탕의 값은 모두 얼마입니까?

▶ 주어진 수에 ○표 하고, 구하는 것에 밑줄 치기

사탕 한 봉지의 값: 원, 사탕 봉지의 수: 봉지

▶ 문제 해결하기

사탕 한 봉지의 값과 사탕 봉지의 수를 (곱합니다 , 나눕니다).

▶ 문제 풀기

(사탕의 값)＝(사탕 한 봉지의 값)×(사탕 봉지의 수)

＝   ×   =   (원)

▶ 답 쓰기

사탕의 값은 모두   원입니다.

구슬 ㉒⑩개를 한 봉지에 ㉟개씩 담으려고 합니다. 구슬은 모두 몇 봉지가 되겠습니까?

▶ 주어진 수에 ○표 하고, 구하는 것에 밑줄 치기

전체 구슬의 수: 개, 한 봉지에 담을 구슬의 수: 개

▶ 문제 해결하기

전체 구슬의 수를 한 봉지에 담을 구슬의 수로 (곱합니다 , 나눕니다).

▶ 문제 풀기

(구슬을 담을 봉지의 수)＝(전체 구슬의 수)÷(한 봉지에 담을 구슬의 수)

$$= \quad ÷ \quad = \quad (봉지)$$

▶ 답 쓰기

구슬은 모두   봉지가 됩니다.

달걀 186개를 팔기 위해 한 상자에 15개씩 담으려고 합니다. 달걀을 몇 상자까지 담을 수 있고 남는 달걀은 몇 개입니까?

▶ 주어진 수에 ○표 하고, 구하는 것에 밑줄 치기

전체 달걀의 수: 개, 한 상자에 담을 달걀의 수: 개

▶ 문제 해결하기

전체 달걀의 수를 한 상자에 담을 달걀의 수로 (곱합니다 , 나눕니다).

▶ 문제 풀기

(상자에 담을 수 있는 달걀의 수)＝(전체 달걀의 수)÷(한 상자에 담을 달걀의 수)

$$= \quad ÷ \quad = \quad \cdots$$

▶ 답 쓰기

달걀을   상자까지 담을 수 있고 남는 달걀은   개입니다.

● ▨ 안에 알맞은 수를 써넣고, 답을 구하시오.

1 Drill

하루에 380km씩 달리는 마을버스가 있습니다. 이 마을버스가 30일 동안 달리면 모두 몇 km를 달리게 됩니까?

주어진 수에 ○표 하고, 구하는 것에 밑줄 쫙!

풀이 (마을버스가 30일 동안 달린 거리)

= (마을버스가 하루 동안 달린 거리)×(달린 날수)

= ▨ × ▨ = ▨ (km)

답 ▨ km

2 Drill

어느 공장에서 자전거를 하루에 275대씩 생산한다고 합니다. 이 공장에서 14일 동안 생산하는 자전거는 모두 몇 대입니까?

풀이 (14일 동안 생산하는 자전거의 수)

= (하루에 생산하는 자전거의 수) ×(생산한 날수)

= ▨ × ▨ = ▨ (대)

답 ▨ 대

3 Drill

진영이가 180쪽인 동화책을 읽으려고 합니다. 하루에 20쪽씩 읽으면 며칠 안에 모두 읽을 수 있습니까?

풀이 (동화책을 읽은 날수)

= (전체 동화책 쪽수)÷(하루 동안 읽은 동화책 쪽수)

= ▨ ÷ ▨ = ▨ (일)

답 ▨ 일

4 Drill

과수원에서 석류를 327개 땄습니다. 이 석류를 한 상자에 15개씩 담아서 팔려고 합니다. 몇 상자까지 팔 수 있습니까?

풀이 (팔 수 있는 상자 수)=(전체 석류의 수)÷(한 상자에 담은 석류의 수)

= ▨ ÷ ▨ = ▨ … ▨

나머지 ▨ 개는 한 상자로 팔 수 없으므로 ▨ 상자까지 팔 수 있습니다.

답 ▨ 상자

● 서술형 문제를 읽고 풀이 과정과 답을 쓰시오.

 도전 ①

선주는 하루에 줄넘기를 240번씩 합니다. 선주가 40일 동안 한 줄넘기는 모두 몇 번입니까?

풀이

답

도전 ②

하루는 24시간입니다. 1년을 365일이라고 한다면 1년은 모두 몇 시간입니까?

풀이

답

도전 ③

450명의 학생들이 체험 학습을 위해 정원이 25명인 버스를 타고 가기로 했습니다. 버스에 학생들이 모두 타려면 버스는 몇 대 필요합니까?

풀이

답

도전 ④

265mL의 간장을 한 병에 40mL씩 담으려고 합니다. 간장을 남김없이 담으려면 병은 적어도 몇 개 필요합니까?

풀이

답

01 곱셈을 하시오.

```
    4 0 0
×    9 0
─────────
```

02 곱셈을 하시오.

(1)
```
    7 6 0
×    2 0
─────────
```

(2)
```
    3 7 4
×    8 0
─────────
```

03 곱셈을 하시오.

(1) 590×40=

(2) 417×90=

04 ☐ 안에 알맞은 수를 써넣으시오.

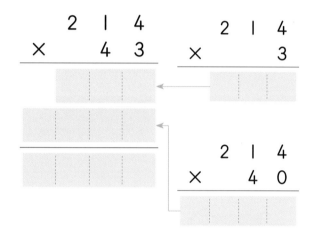

05 ☐ 안에 알맞은 수를 써넣으시오.

(1)
```
    3 7 6
×    8 6
─────────
```

(2)
```
    5 8 4
×    5 9
─────────
```

06 곱셈을 하시오.

(1)
```
      1 9 7
  ×     3 6
```

(2)
```
      8 3 5
  ×     6 7
```

07 빈칸에 알맞은 수를 써넣으시오.

(1)
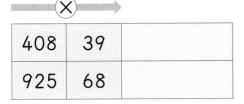

×		
300	70	
620	40	

(2)

×		
408	39	
925	68	

08 ☐ 안에 알맞은 수를 써넣으시오.

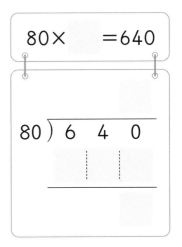

80 × ☐ =640

```
80 ) 6 4 0
```

09 나눗셈을 하시오.

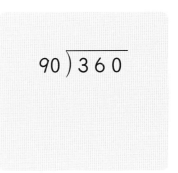

```
90 ) 3 6 0
```

10 계산을 하고 검산해 보시오.

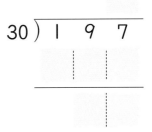

```
30 ) 1 9 7
```

검산

11 나눗셈을 하시오.

$29\overline{)87}$

12 ░ 안에 알맞은 수를 써넣으시오.

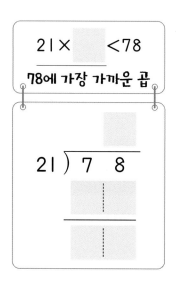

$21\times<78$

78에 가장 가까운 곱

$21\overline{)78}$

13 계산을 하고 검산해 보시오.

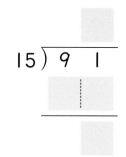

$15\overline{)91}$

검산 _____

14 빈 곳에 알맞은 수를 써넣으시오.

(1)
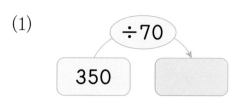

÷70 350

(2)
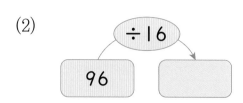

÷16 96

(3)
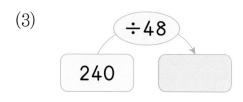

÷48 240

(4)
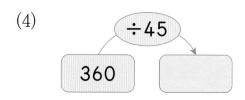

÷45 360

(5)
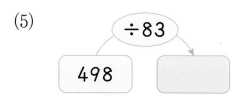

÷83 498

15 계산을 하고 검산해 보시오.

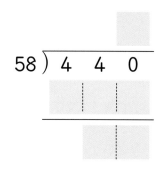

$58\overline{)440}$

검산 _____

16 빈칸에 알맞은 수를 써넣으시오.

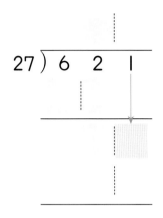

[17~18] 나눗셈을 하시오.

17

$$53\overline{)901}$$

18

$$19\overline{)672}$$

19 계산을 하고 검산해 보시오.

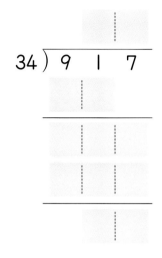

검산 _____

20 □ 안에 몫을 써넣고, □ 안에 나머지를 써넣으시오.

(1) ÷

196	45	
89	12	

(2) ÷

258	17	
908	56	

3. 곱셈과 나눗셈

정답 26쪽

1 ■ 안에 들어갈 0의 개수를 쓰시오.

$$500 \times 60 = 3 $$

(   )개

2 계산해 보시오.

(1)
$$\begin{array}{r} 2\,7\,4 \\ \times 3\,0 \\ \hline \end{array}$$

(2)
$$\begin{array}{r} 7\,0\,4 \\ \times 1\,8 \\ \hline \end{array}$$

3 ■ 안에 알맞은 수를 써넣으시오.

(1) 480 → ÷80 →

(2) 630 → ÷70 →

4 계산해 보시오.

(1)
$$17\,)\overline{\,68\,}$$

(2)
$$34\,)\overline{\,952\,}$$

5 몫과 나머지를 각각 구하시오.

$$479 \div 56$$

몫 (   )

나머지 (   )

6 계산을 하고 검산해 보시오.

$$21 \overline{)299}$$

검산 _____

7 관계있는 것끼리 선으로 이으시오.

400×60 •   • 20×900

80×200 •   • 40×400

600×30 •   • 300×80

8 잘못 계산한 부분을 찾아 바르게 계산해 보시오.

$$\begin{array}{r} 1\,5\,9 \\ \times \quad 5\,4 \\ \hline 6\,3\,6 \\ 7\,9\,5 \\ \hline 1\,4\,3\,1 \end{array}$$ ➡ ☐

9 곱의 크기를 비교하여 ◯ 안에 >, =, <를 알맞게 써넣으시오.

265×80 ◯ 417×49

10 다음 중 몫이 다른 하나는 어느 것입니까?
(   )

① 480÷60   ② 320÷40

③ 180÷20   ④ 720÷90

⑤ 560÷70

11 ▨ 안에 몫을 써넣고, ⬭ 안에 나머지를 써넣으시오.

(1)

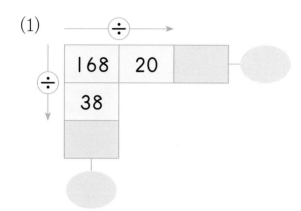

(2)

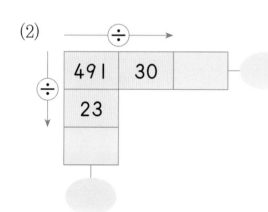

12 몫이 두 자리 수인 나눗셈을 모두 찾아 기호를 쓰시오.

㉠ 364÷35   ㉡ 850÷91
㉢ 572÷60   ㉣ 208÷17

(   )

13 가장 큰 수와 가장 작은 수의 곱을 구하시오.

| 168 | 74 | 501 | 498 |

(   )

14 50원짜리 동전이 480개 있습니다. 돈은 모두 얼마입니까?

(   )원

15 나머지가 큰 것부터 차례로 기호를 쓰시오.

㉠ 411÷79
㉡ 583÷46
㉢ 372÷50

▢ → ▢ → ▢

16 ▨ 안에 알맞은 수를 써넣으시오.

$$\boxed{ \div 17 = 8 \cdots 14}$$

17 곱이 작은 것부터 차례로 기호를 쓰시오.

㉠ 249×34　　㉡ 600×40

㉢ 527×50　　㉣ 935×18

▨ - ▨ - ▨ - ▨

18 수영이가 246쪽짜리 만화책을 읽으려고 합니다. 하루에 37쪽씩 읽으면 며칠 안에 모두 읽을 수 있는지 구하시오.

(　　　　)일

19 리본 1개를 만드는 데 색 테이프 25cm가 필요합니다. 색 테이프 175cm로 리본을 몇 개까지 만들 수 있는지 풀이 과정을 쓰고 답을 구하시오.

풀이 _____

_____

답 _____

20 한 권에 420원인 공책 35권을 사고 20000원을 냈습니다. 거스름돈으로 얼마를 받아야 하는지 풀이 과정을 쓰고 답을 구하시오.

풀이 _____

_____

답 _____

memo

논리적 사고력과 창의적 문제해결력을 키워 주는
매스티안 교재 활용법!

대상	창의사고력 교재 팩토			연산 교재 사고력을 키우는 팩토 연산	연산 교재 원리 연산 소마셈
5세~6세	킨더팩토 A, B, C, D				소마셈 K시리즈 K1~K8
7세~초1	키즈 원리A/탐구A	키즈 원리B/탐구B	키즈 원리C/탐구C	사고력을 키우는 팩토 연산 P01~P05	소마셈 P시리즈 P1~P8
초1~초2	Lv.1 원리A/탐구A	Lv.1 원리B/탐구B	Lv.1 원리C/탐구C	사고력을 키우는 팩토 연산 A01~A05	소마셈 A시리즈 A1~A8
초2~초3	Lv.2 원리A/탐구A	Lv.2 원리B/탐구B	Lv.2 원리C/탐구C	사고력을 키우는 팩토 연산 B01~B05	소마셈 B시리즈 B1~B8
초3~초4	Lv.3 원리A/탐구A	Lv.3 원리B/탐구B	Lv.3 원리C/탐구C	사고력을 키우는 팩토 연산 C01~C05	소마셈 D시리즈 D1~D6
초4~초5	Lv.4 기본A, 실전A	Lv.4 기본B, 실전B			소마셈 C시리즈 C1~C8
초5~초6	Lv.5 기본A, 실전A	Lv.5 기본B, 실전B			
초6~	Lv.6 기본A, 실전A	Lv.6 기본B, 실전B			

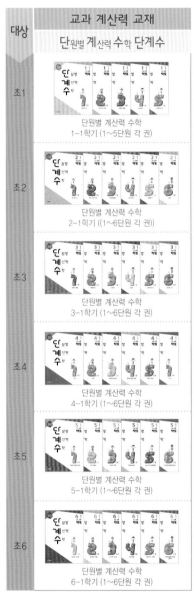

대상	교과 계산력 교재 단원별 계산력 수학 단계수
초1	단원별 계산력 수학 1-1학기 (1~5단원 각 권)
초2	단원별 계산력 수학 2-1학기 ((1~6단원 각 권))
초3	단원별 계산력 수학 3-1학기 (1~6단원 각 권)
초4	단원별 계산력 수학 4-1학기 (1~6단원 각 권)
초5	단원별 계산력 수학 5-1학기 (1~6단원 각 권)
초6	단원별 계산력 수학 6-1학기 (1~6단원 각 권)

대상	교과 수학 교재 1학기	교과 수학 교재 2학기
초1	팩토 수학교과서/익힘책 1-1	팩토 수학교과서/익힘책 1-2
초2	팩토 수학교과서/익힘책 2-1	팩토 수학교과서/익힘책 2-2

단계수 학습 순서

매일 학습

단원별로 꼭 알아야 할 개념만 쏙쏙 학습하고 다양한 연산 문제를 통해 연산 과정을 숙달하여 계산력을 쑥쑥 키울 수 있습니다.

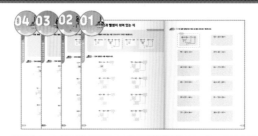

도전! 응용문제

응용 문제와 **서술형** 문제를 통해 사고력과 문제해결력을 기를 수 있습니다.

형성 평가

단원의 **복습 단계**로 문제를 풀면서 학습한 내용을 다시 한 번 확인할 수 있습니다.

단원 평가

단원의 **마무리 학습**으로 학교 시험에 자주 나오는 문제를 통해 수시 평가 등 학교 시험에 대비할 수 있습니다.

 메스티안 http://www.mathtian.com

자율안전확인신고필증번호 : B361H200-4001
1. 주소 : 06153 서울특별시 강남구 봉은사로 442 (삼성동)
2. 문의전화 : 1588-6066
3. 제조국 : 대한민국
4. 사용연령 : 11세 이상
※ KC마크는 이 제품이 공통안전기준에 적합하였음을 의미합니다.

⚠ 주의

종이, 모서리에 다칠 수 있으니 주의하세요!

초등학교	반	번
이름		

FACTO
school

단원별

산력

계

수학

4-1
초등 수학
팩토

4 단원

평면도형의 이동

매스티안

팩토는 자유롭게 자신감있게 창의적으로 생각하는 주니어수학자입니다.

단원별 산력 수학

펴낸 곳 (주)타임교육C&P **펴낸이** 이길호 **지은이** 매스티안R&D센터

주소 06153 서울특별시 강남구 봉은사로 442 (삼성동) **문의전화** 1588.6066

팩토카페 http://cafe.naver.com/factos **홈페이지** http://www.mathtian.com

생각이 자유로운 사람들! 매스티안R&D센터

매스티안R&D센터의 논리적 사고력과 창의적 문제해결력을 키우는 수학 콘텐츠는 국내외 수많은 교육 현장에서 그 우수성을 높이 평가받고 있습니다.
매스티안R&D센터는 여기에 안주하지 않고 앞으로도 학생, 교사, 학부모 모두가 행복한 수학 시간을 만들 수 있도록 노력하겠습니다.

매스티안 공식 홈페이지 … (http://www.mathtian.com)

· 매스티안의 다양한 출간 교재 소개

· 출간 교재와 관련된 학습 자료(보충 학습지, 활동지 등) 제공

· 출간 교재와 관련된 평가 시험 및 분석 제공

매스티안 공식 카페 … 팩토 (http://cafe.naver.com/factos)

· 창의사고력 수학 팩토 무료 동영상 강의 제공

· 출간 교재에 관한 질문 및 답변

· 영재교육원 대비 자료(기출 문제, 예상 문제) 제공

· 초등 수학 비법 및 Q&A

4-1

초등 **수학**
팩토

단 **원별** **계** **산력** **수학**

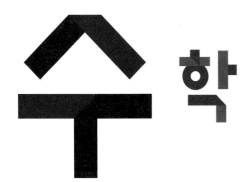

4 단원

평면도형의 이동

매스티안

4. 평면도형의 이동
· 평면도형 밀기, 뒤집기, 돌리기
· 평면도형 뒤집고 돌리기
· 규칙적인 무늬 만들기

4-1

4. 사각형
· 수직과 수선, 평행과 평행선
· 사각형의 종류

6. 다각형
· 다각형, 정다각형, 대각선
· 모양 만들기와 채우기

4-2

4-2

4-2

2. 삼각형
· 이등변삼각형, 정삼각형
· 예각삼각형, 둔각삼각형

3-1

중학 2-2

사각형의 성질

중학 1-2

다각형

2. 평면도형
· 선분, 반직선, 직선
· 각, 직각
· 직각삼각형, 직사각형, 정사각형

4 평면도형의 이동

Teaching Guide

평면도형의 이동은 공간 능력을 키우기 위한 것이므로 이동 활동 그 자체보다는 공간적 추론이 풍부하게 일어
나도록 활동해야 합니다.
아이들의 경우 대체로 밀기는 잘하지만, 뒤집기와 돌리기는 어려워하는 경우가 많습니다. 그럴 때에는 결과를
예상해 보게 한 다음, 자신의 예상이 맞는지 확인하는 수단으로 OHP 투명 필름에 원래 모양을 본떠서 투명 필
름을 뒤집기, 돌리기를 하면서 모양이 어떻게 변화되는지 살펴보는 활동을 하는 것이 좋습니다.

6. 다각형의 둘레와 넓이
· 평면도형의 둘레
· 1cm², 1m², 1km²
· 삼각형과 사각형의 넓이

5. 원의 넓이
· 원주와 지름의 관계
· 원주율
· 원주와 지름, 원의 넓이

원과 부채꼴

원의 성질

 5-1

 6-2

 중학 1-2

 중학 3-2

 5-2

 중학 1-2

 중학 2-2

 중학 3-2

3. 합동과 대칭
· 합동
· 선대칭도형, 점대칭도형

작도와 합동

삼각형의 성질
도형의 닮음
피타고라스의 정리

삼각비

공부한 날짜

① 일차 평면도형 밀기
월 일

② 일차 평면도형 뒤집기
월 일

③ 일차 평면도형 돌리기
월 일

④ 일차 평면도형 뒤집고 돌리기
월 일

⑤ 일차 응용 문제
월 일

⑥ 일차 형성 평가
월 일

⑦ 일차 단원 평가
월 일

01 평면도형 밀기

정답 27쪽

● 도형을 위쪽, 아래쪽, 왼쪽, 오른쪽으로 밀어도 **모양은 변하지 않습니다.**

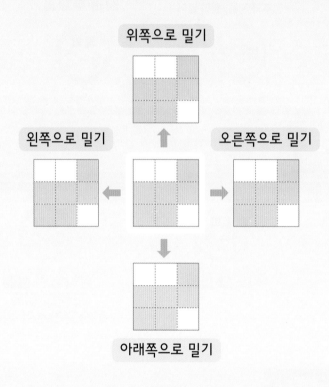

위쪽으로 밀기

왼쪽으로 밀기   오른쪽으로 밀기

아래쪽으로 밀기

1 모양 조각을 주어진 방향으로 밀었을 때의 모양으로 옳은 것에 ◯표 하시오.

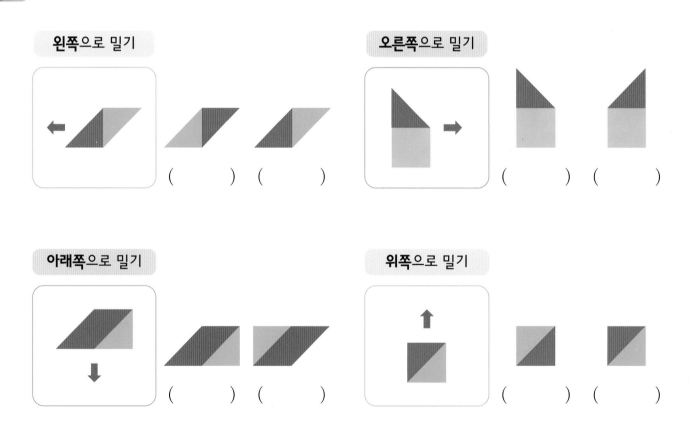

왼쪽으로 밀기

( ) ( )

오른쪽으로 밀기

( ) ( )

아래쪽으로 밀기

( ) ( )

위쪽으로 밀기

( ) ( )

2 도형을 주어진 방향으로 밀었을 때의 도형을 그려 보시오.

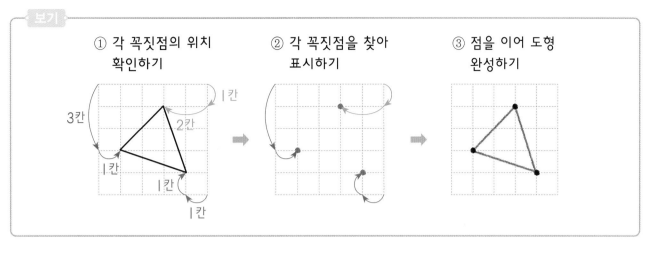

① 각 꼭짓점의 위치
확인하기

② 각 꼭짓점을 찾아
표시하기

③ 점을 이어 도형
완성하기

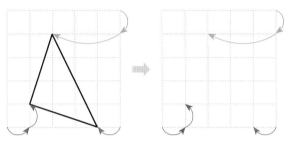

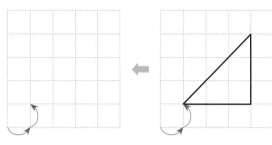

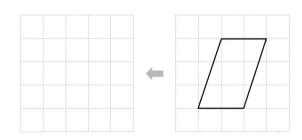

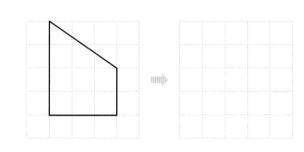

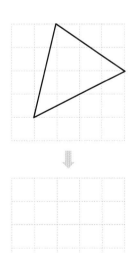

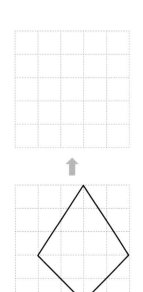

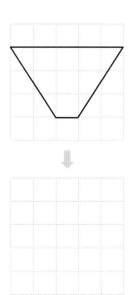

3 도형을 주어진 조건에 맞게 밀었을 때의 도형을 그려 보시오.

보기

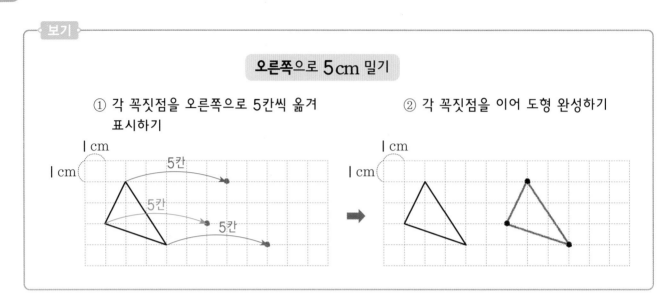

오른쪽으로 **5** cm 밀기

① 각 꼭짓점을 오른쪽으로 5칸씩 옮겨 표시하기

② 각 꼭짓점을 이어 도형 완성하기

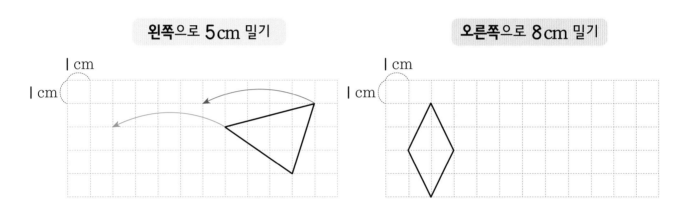

왼쪽으로 **5** cm 밀기

오른쪽으로 **8** cm 밀기

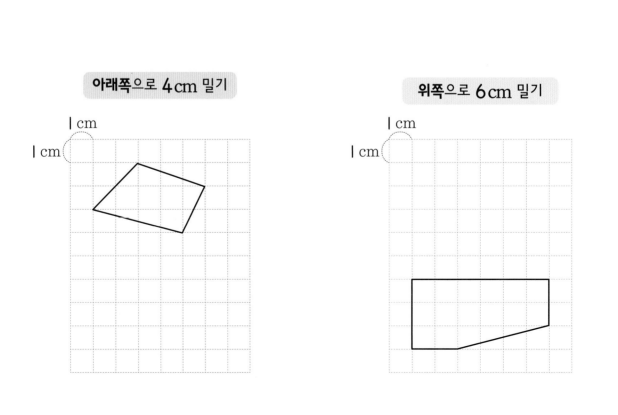

아래쪽으로 **4** cm 밀기

위쪽으로 **6** cm 밀기

4 주어진 모양으로 **밀기**를 이용하여 규칙적인 무늬를 만들어 보시오. 준비물 색연필

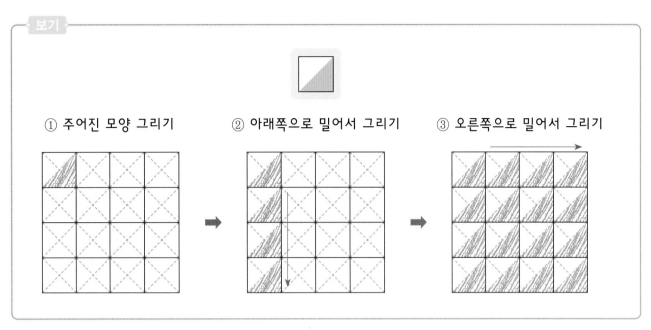

① 주어진 모양 그리기   ② 아래쪽으로 밀어서 그리기   ③ 오른쪽으로 밀어서 그리기

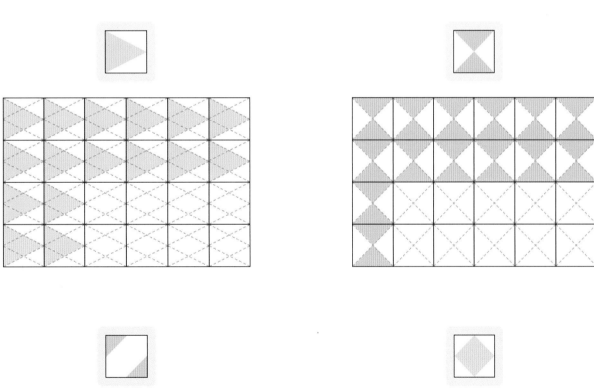

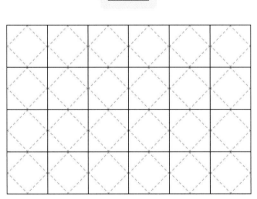

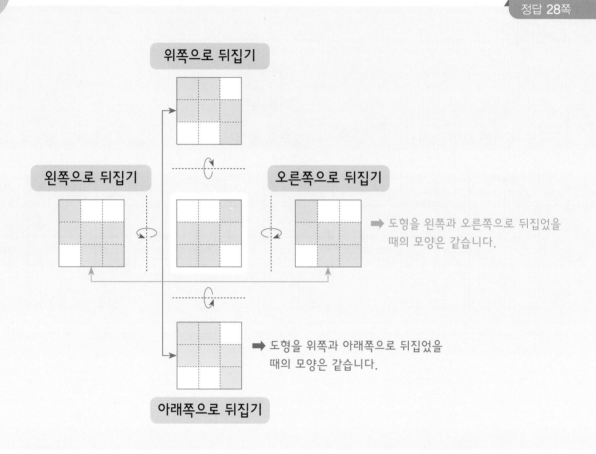

위쪽으로 뒤집기

왼쪽으로 뒤집기   오른쪽으로 뒤집기

➡ 도형을 왼쪽과 오른쪽으로 뒤집었을 때의 모양은 같습니다.

➡ 도형을 위쪽과 아래쪽으로 뒤집었을 때의 모양은 같습니다.

아래쪽으로 뒤집기

1 모양 조각을 주어진 방향으로 뒤집었을 때의 모양으로 옳은 것에 ◯표 하시오.

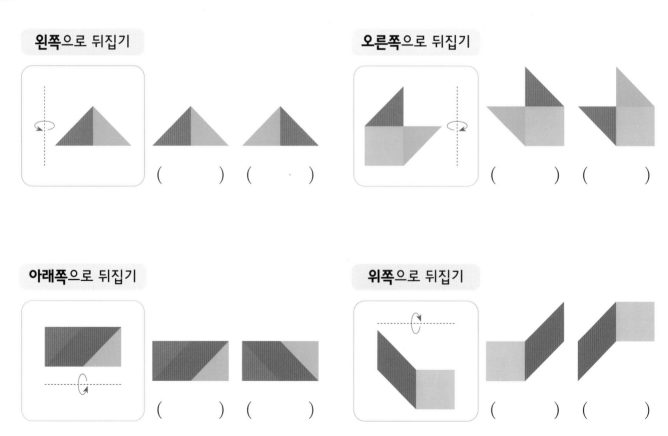

왼쪽으로 뒤집기   ( ) ( )

오른쪽으로 뒤집기   ( ) ( )

아래쪽으로 뒤집기   ( ) ( )

위쪽으로 뒤집기   ( ) ( )

08

② 도형을 주어진 방향으로 뒤집었을 때의 도형을 그려 보시오.

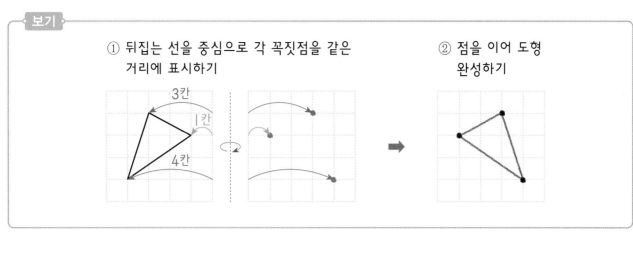

① 뒤집는 선을 중심으로 각 꼭짓점을 같은 거리에 표시하기

② 점을 이어 도형 완성하기

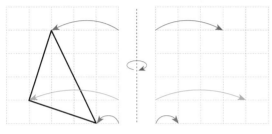

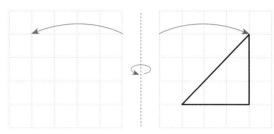

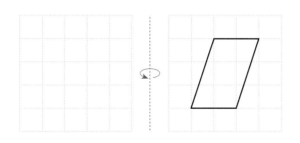

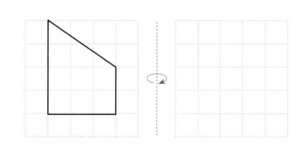

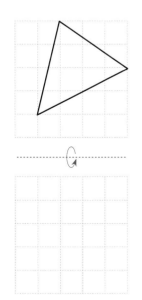

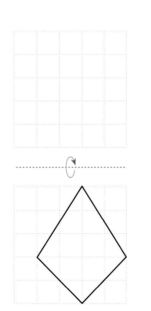

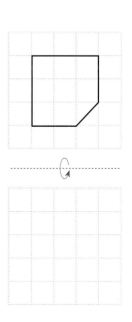

도형을 주어진 방향으로 뒤집었을 때의 도형을 각각 그려 보시오.

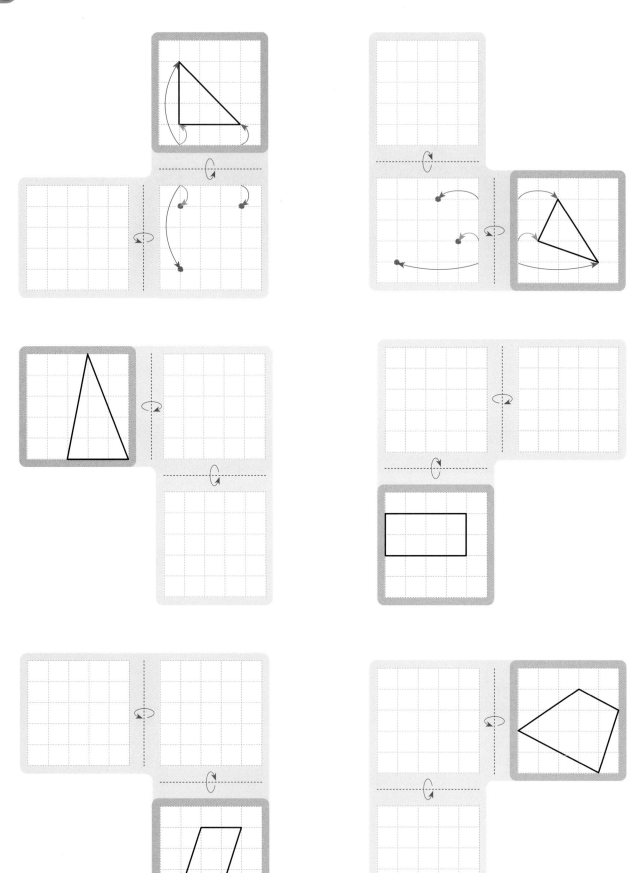

4 주어진 모양으로 **뒤집기**를 이용하여 규칙적인 무늬를 만들어 보시오. 준비물 색연필

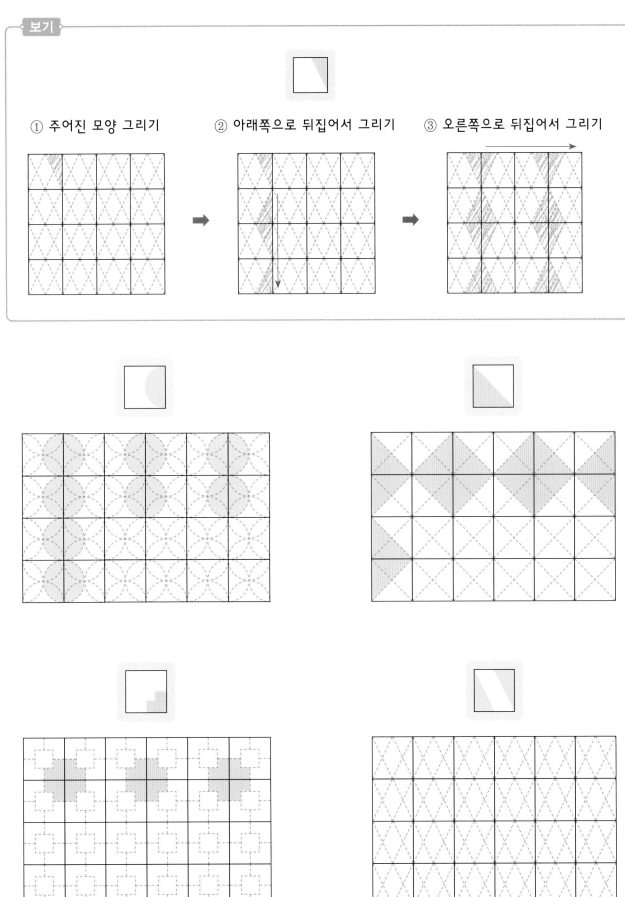

① 주어진 모양 그리기　　② 아래쪽으로 뒤집어서 그리기　　③ 오른쪽으로 뒤집어서 그리기

03 🎯 평면도형 돌리기

정답 29쪽

● 도형을 여러 방향으로 돌렸을 때의 모양

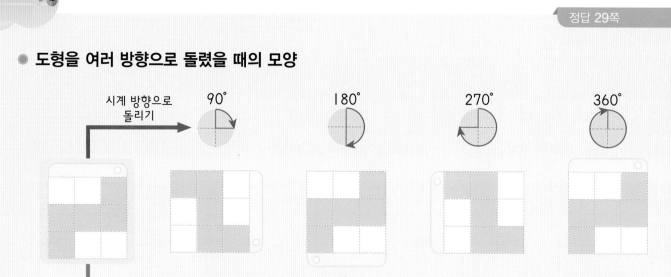

① 도형을 주어진 방향과 각도만큼 돌렸을 때의 도형을 그려 보시오. 준비물 색연필

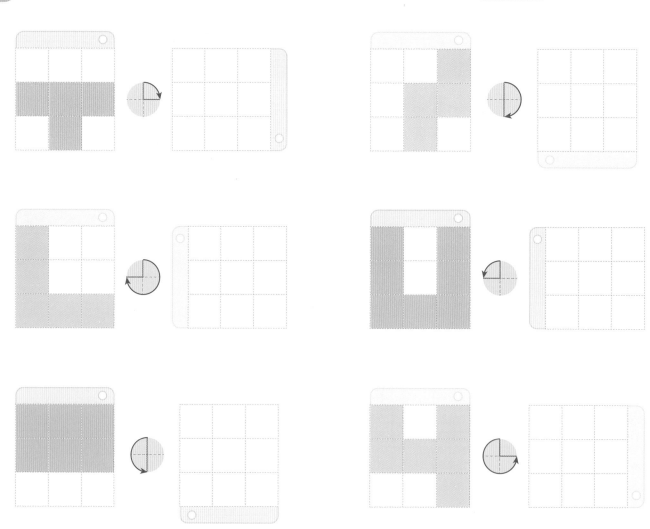

2 도형을 주어진 방향과 각도만큼 돌렸을 때의 도형을 그려 보시오.

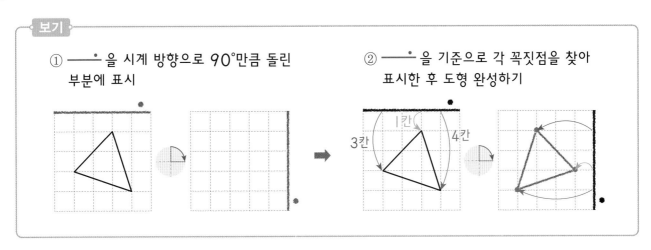

보기

① ──•을 시계 방향으로 90°만큼 돌린 부분에 표시

② ──•을 기준으로 각 꼭짓점을 찾아 표시한 후 도형 완성하기

시계 방향으로 90°만큼 돌리기

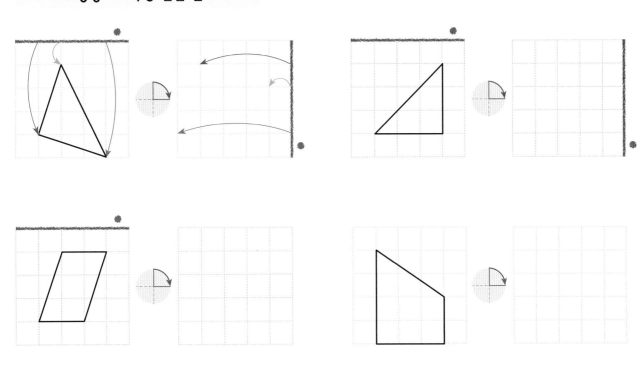

시계 반대 방향으로 270°만큼 돌리기

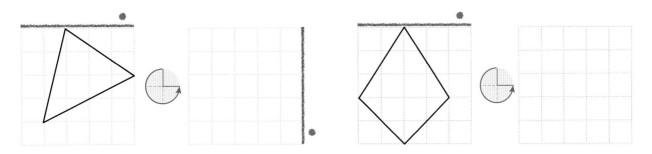

3 도형을 주어진 방향과 각도만큼 돌렸을 때의 도형을 그려 보시오.

시계 방향으로 180°만큼 돌리기

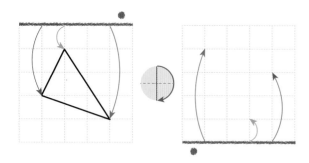

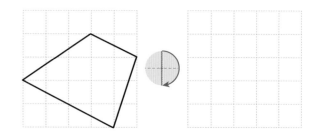

시계 반대 방향으로 180°만큼 돌리기

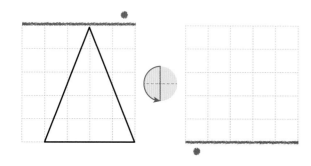

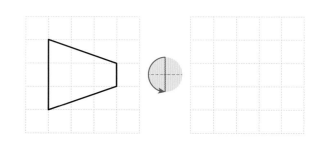

시계 방향으로 270°만큼 돌리기

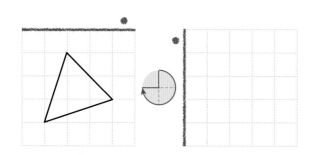

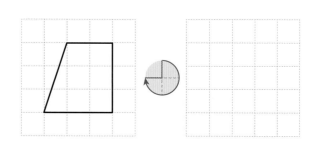

시계 반대 방향으로 90°만큼 돌리기

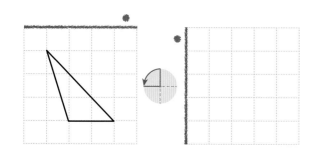

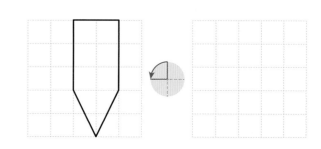

14

4 주어진 모양으로 **돌리기**를 이용하여 규칙적인 무늬를 만들어 보시오. 준비물 색연필

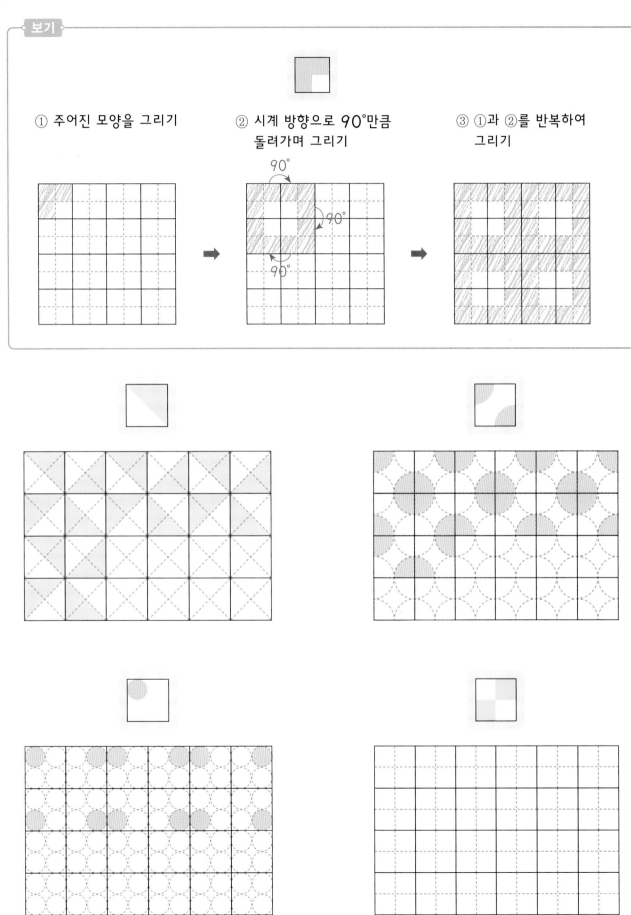

04 평면도형 뒤집고 돌리기

정답 30쪽

● 도형을 오른쪽으로 뒤집은 다음 시계 방향으로 90°만큼 돌렸을 때의 모양

① 주어진 도형의 오른쪽과
   왼쪽이 바뀌게 그리기

② 가운데 도형의 위쪽이
   오른쪽으로 바뀌게 그리기

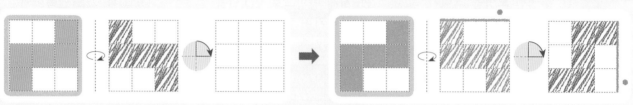

1 도형을 주어진 방향으로 뒤집은 다음 돌렸을 때의 도형을 각각 그려 보시오. 준비물 색연필

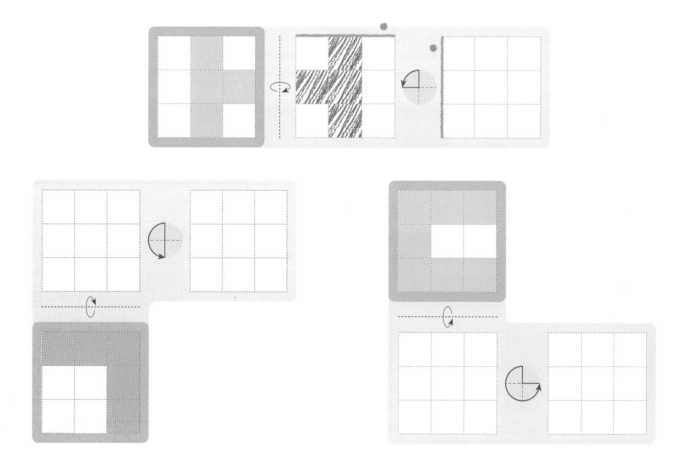

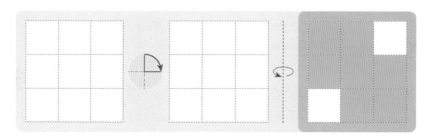

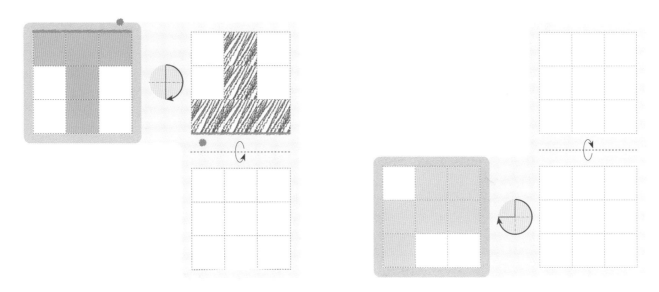

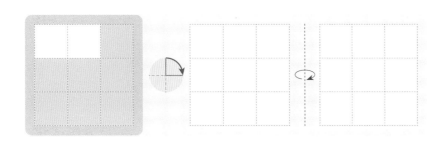

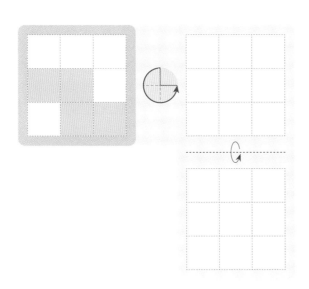

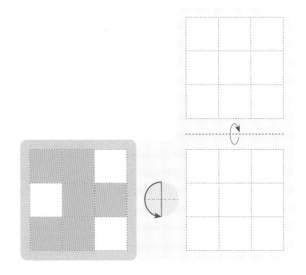

도형을 주어진 방향으로 뒤집은 다음 돌렸을 때의 도형을 각각 그려 보시오.

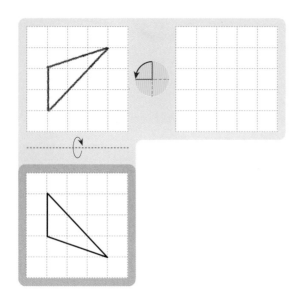

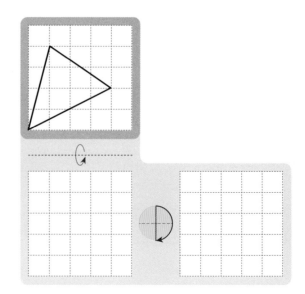

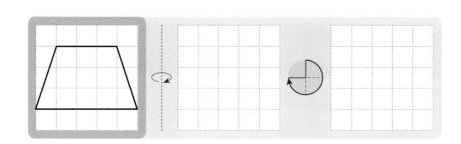

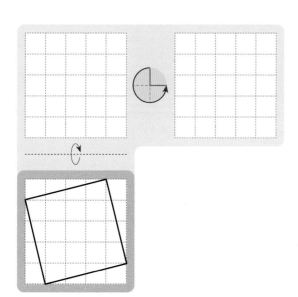

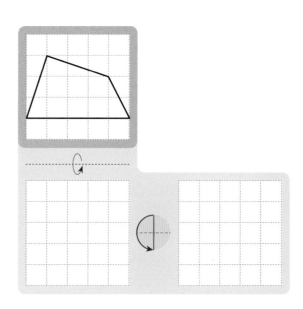

4 도형을 주어진 방향과 각도만큼 돌린 다음 뒤집었을 때의 도형을 각각 그려 보시오.

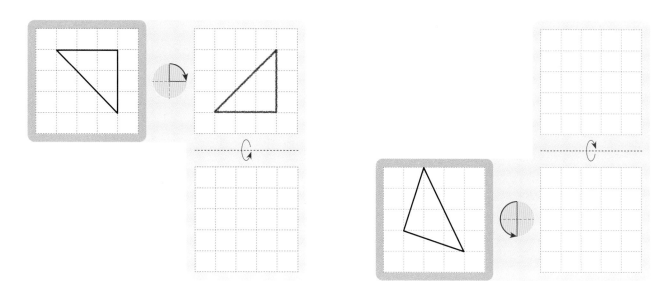

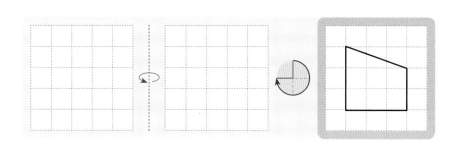

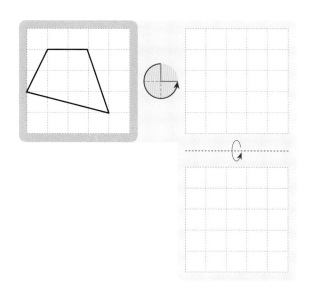

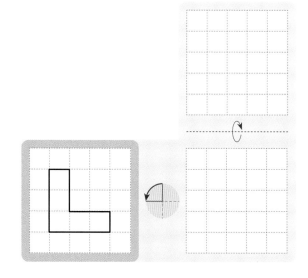

도전! 응용문제

정답 31쪽

💡 **한 방향으로 여러 번 뒤집은 도형**

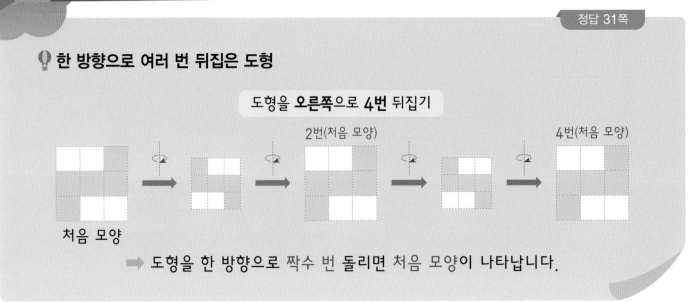

도형을 **오른쪽**으로 **4번** 뒤집기

➡ 도형을 한 방향으로 짝수 번 돌리면 처음 모양이 나타납니다.

응용 ① 도형을 주어진 조건에 맞게 움직였을 때의 도형을 그려 보시오. `준비물 색연필`

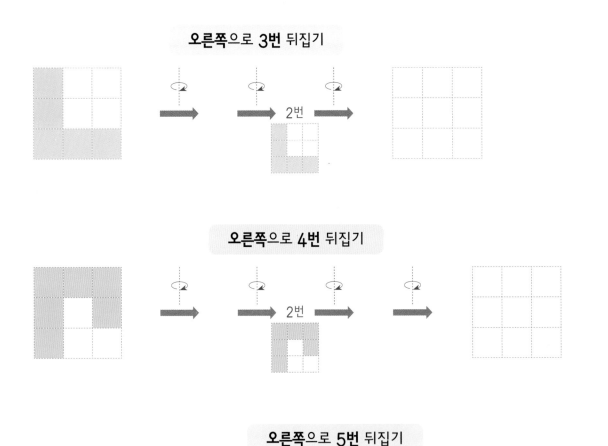

오른쪽으로 **3번** 뒤집기

오른쪽으로 **4번** 뒤집기

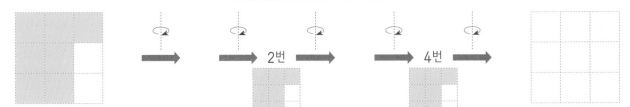

오른쪽으로 **5번** 뒤집기

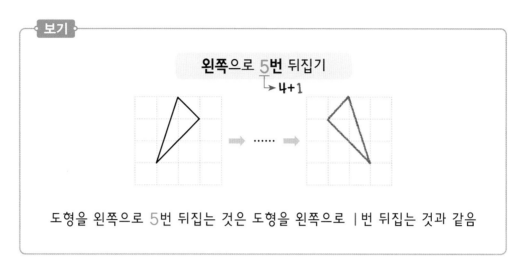

응용 ② 도형을 주어진 조건에 맞게 움직였을 때의 도형을 그려 보시오.

위쪽으로 **2**번 뒤집기
┗→ 짝수 번(처음 모양)

아래쪽으로 **7**번 뒤집기
┗→ 6+1

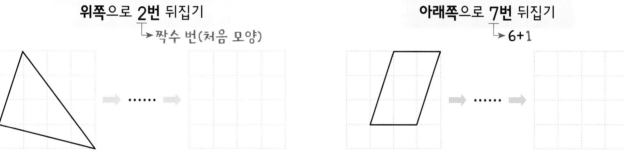

오른쪽으로 **9**번 뒤집기

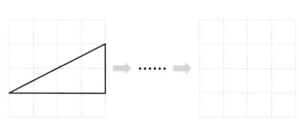

왼쪽으로 **8**번 뒤집기

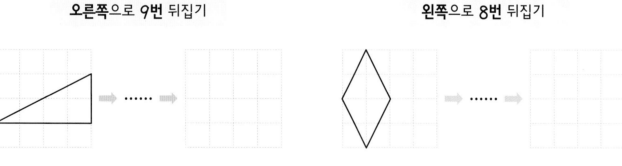

아래쪽으로 **1O**번 뒤집기

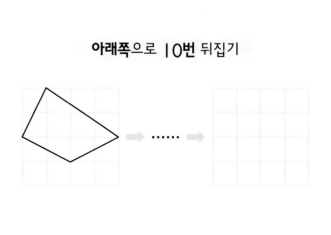

오른쪽으로 **11**번 뒤집기

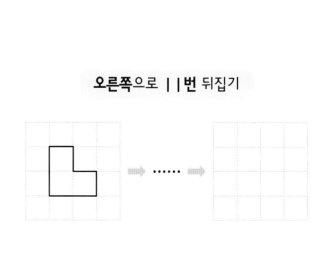

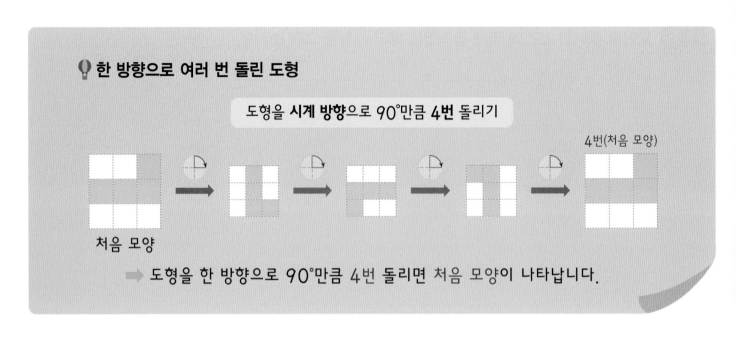

한 방향으로 여러 번 돌린 도형

도형을 시계 방향으로 90°만큼 4번 돌리기

처음 모양

4번(처음 모양)

➡ 도형을 한 방향으로 90°만큼 4번 돌리면 처음 모양이 나타납니다.

응용 ③ 도형을 주어진 조건에 맞게 움직였을 때의 도형을 그려 보시오. 〔준비물 색연필〕

시계 방향으로 90°만큼 5번 돌리기

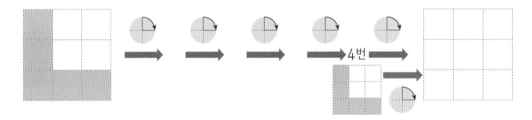

시계 반대 방향으로 90°만큼 6번 돌리기

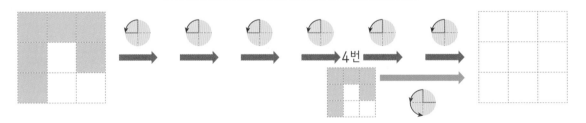

시계 방향으로 90°만큼 7번 돌리기

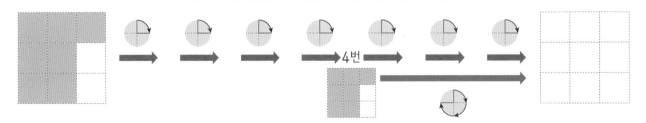

응용 ④ 도형을 주어진 조건에 맞게 움직였을 때의 도형을 그려 보시오.

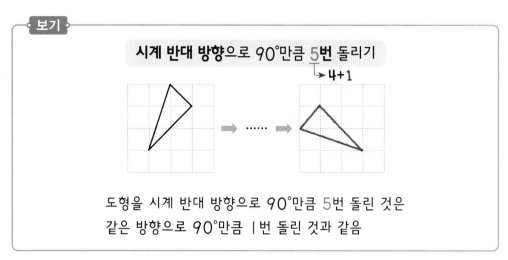

보기

시계 반대 방향으로 90°만큼 **5**번 돌리기
↳ 4+1

도형을 시계 반대 방향으로 90°만큼 **5**번 돌린 것은
같은 방향으로 90°만큼 1번 돌린 것과 같음

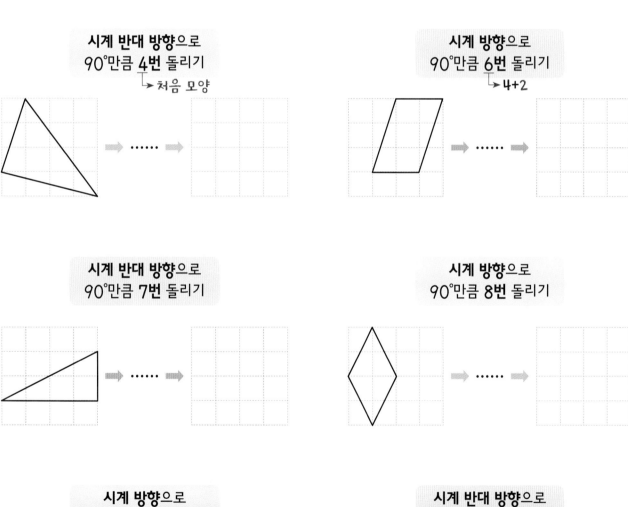

시계 반대 방향으로
90°만큼 **4**번 돌리기
↳ 처음 모양

시계 방향으로
90°만큼 **6**번 돌리기
↳ 4+2

시계 반대 방향으로
90°만큼 **7**번 돌리기

시계 방향으로
90°만큼 **8**번 돌리기

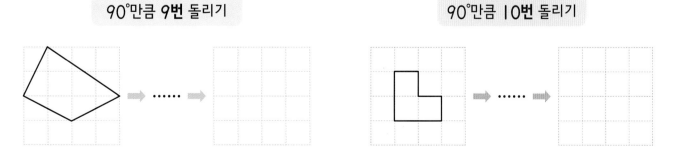

시계 방향으로
90°만큼 **9**번 돌리기

시계 반대 방향으로
90°만큼 **10**번 돌리기

걸린 시간: 분
정답 32쪽   점 수: 점

01 모양 조각을 주어진 방향으로 밀었을 때의 모양으로 옳은 것에 ◯표 하시오.

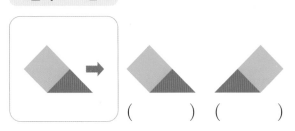

(   )   (   )

[02~03] 도형을 주어진 방향으로 밀었을 때의 도형을 그려 보시오.

02

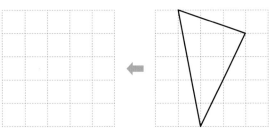

03

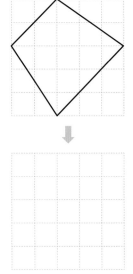

04 도형을 주어진 조건에 맞게 밀었을 때의 도형을 그려 보시오.

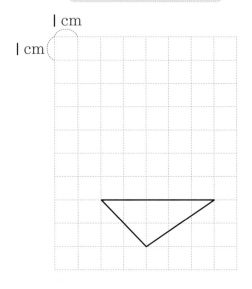

05 주어진 모양으로 밀기를 이용하여 규칙적인 무늬를 만들어 보시오.

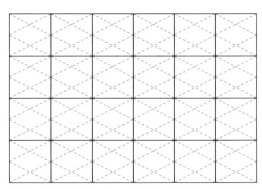

06 모양 조각을 주어진 방향으로 뒤집었을 때의 모양으로 옳은 것에 ○표 하시오.

위쪽으로 뒤집기

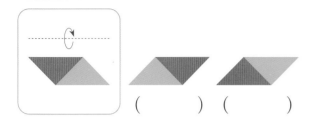

(   ) (   )

[07~08] 도형을 주어진 방향으로 뒤집었을 때의 도형을 그려 보시오.

07

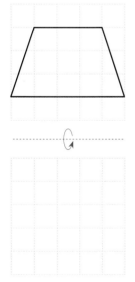

08

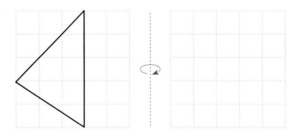

09 도형을 주어진 방향으로 뒤집었을 때의 도형을 각각 그려 보시오.

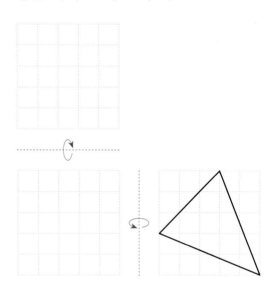

10 주어진 모양으로 뒤집기를 이용하여 규칙적인 무늬를 만들어 보시오.

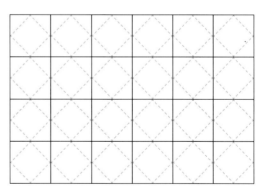

11 도형을 주어진 방향으로 돌렸을 때의 도형을 그려 보시오.

(1)

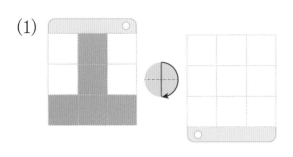

(2)

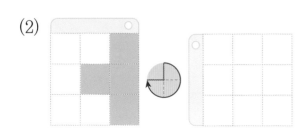

[12~13] 도형을 주어진 방향으로 돌렸을 때의 도형을 그려 보시오.

12

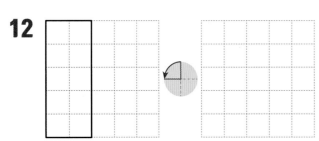

13

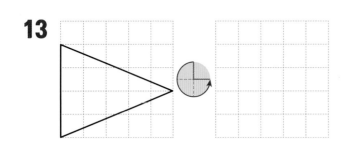

14 도형을 주어진 방향으로 돌렸을 때의 도형을 각각 그려 보시오.

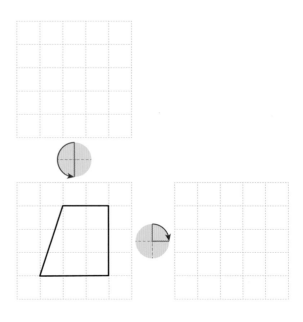

15 주어진 모양으로 돌리기를 이용하여 규칙적인 무늬를 만들어 보시오.

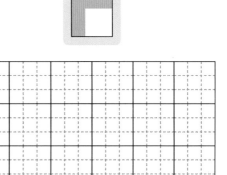

16 도형을 왼쪽으로 뒤집은 다음 시계 방향으로 **90°**만큼 돌렸을 때의 도형을 각각 그려 보시오.

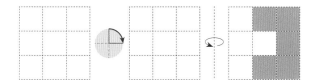

17 도형을 시계 반대 방향으로 **180°**만큼 돌린 다음 오른쪽으로 뒤집었을 때의 도형을 각각 그려 보시오.

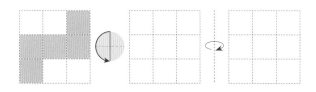

18 도형을 위쪽으로 뒤집은 다음 시계 반대 방향으로 **90°**만큼 돌렸을 때의 도형을 각각 그려 보시오.

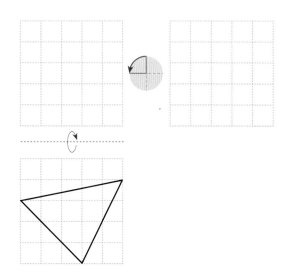

19 도형을 시계 반대 방향으로 **270°**만큼 돌린 다음 위쪽으로 뒤집었을 때의 도형을 각각 그려 보시오.

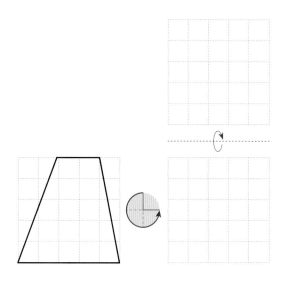

20 도형을 아래쪽으로 뒤집은 다음 시계 방향으로 **180°**만큼 돌렸을 때의 도형을 각각 그려 보시오.

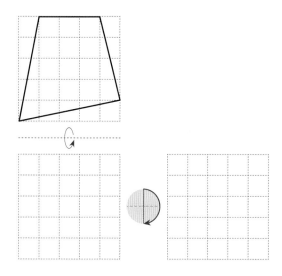

1 오른쪽 도형을 아래쪽으로 밀었을 때의 도형으로 알맞은 것을 찾아 기호를 쓰시오.

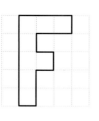

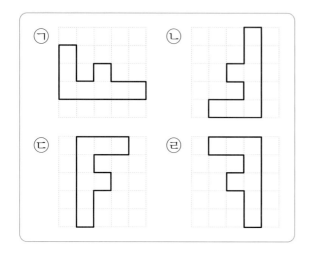

ㄱ ㄴ

ㄷ ㄹ

(   )

2 오른쪽 모양 조각을 왼쪽으로 뒤집었을 때의 모양은 어느 것입니까? (   )

①   ②

③   ④

⑤

3 도형을 왼쪽으로 6cm 밀었을 때의 도형을 그려 보시오.

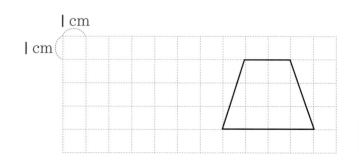

1 cm
1 cm

4 도형을 오른쪽으로 뒤집었을 때의 도형을 그려 보시오.

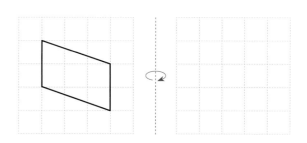

5 오른쪽 도형을 시계 방향으로 180°만큼 돌렸을 때의 도형을 찾아 기호를 쓰시오.

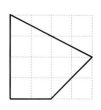

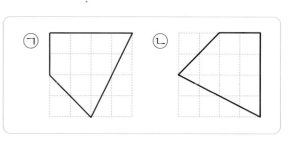

ㄱ ㄴ

(   )

28

6 도형을 시계 반대 방향으로 **90°**만큼 돌렸을 때의 도형을 그려 보시오.

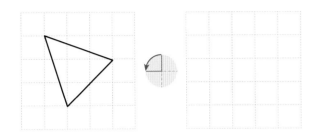

7 모양 조각을 보고 알맞은 말에 ◯표 하시오.

모양 조각 ㉡을 아래쪽으로
(밀면 , 뒤집으면) 모양 조각
㉠이 됩니다.

8 도형을 돌렸을 때의 모양이 같은 것끼리 짝 지은 것을 찾아 기호를 쓰시오.

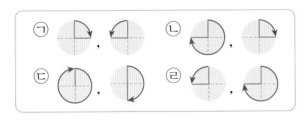

(   )

9 도형을 위쪽과 왼쪽으로 뒤집었을 때의 도형을 각각 그려 보시오.

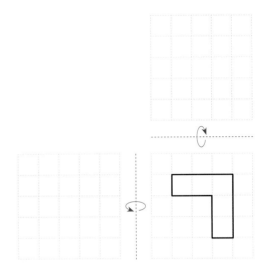

10 왼쪽 도형을 움직였더니 오른쪽 도형이 되었습니다. 움직인 방법으로 옳은 것을 모두 찾아 기호를 쓰시오.

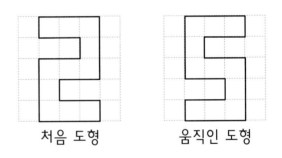

처음 도형   움직인 도형

㉠ 도형을 오른쪽으로 뒤집습니다.

㉡ 도형을 아래쪽으로 뒤집습니다.

㉢ 도형을 시계 방향으로 90°만큼
   돌립니다.

㉣ 도형을 시계 반대 방향으로 180°
   만큼 돌립니다.

(   )

11 위쪽으로 뒤집었을 때 모양이 변하지 <u>않는</u> 도형을 찾아 기호를 쓰시오.

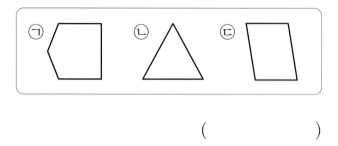

(   )

12 도형을 오른쪽으로 뒤집은 다음 시계 방향으로 180°만큼 돌렸을 때의 도형을 각각 그려 보시오.

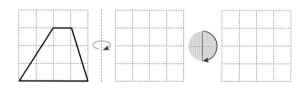

13 오른쪽 글자를 돌렸을 때 만들어지는 모양이 <u>아닌</u> 것은 어느 것입니까? (   )

① 무

② ㅎ

③ 라

④ 라

⑤ ㅎ

14 도형을 시계 반대 방향으로 90°만큼 돌린 다음 위쪽으로 뒤집었을 때의 도형을 각각 그려 보시오.

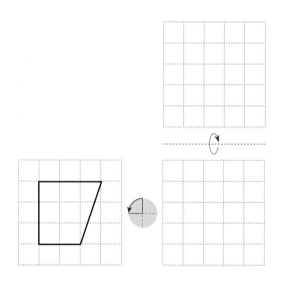

15 주어진 모양으로 뒤집기를 이용하여 규칙적인 무늬를 만들어 보시오.

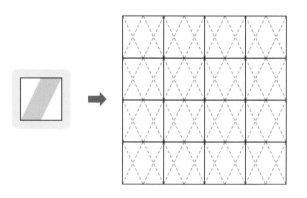

16 어떤 도형을 시계 방향으로 **90°**만큼 돌린 도형입니다. 처음 도형을 그려 보시오.

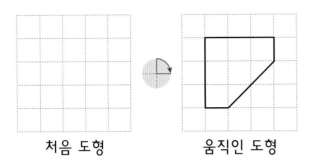

처음 도형   움직인 도형

17 시계 반대 방향으로 **180°**만큼 돌렸을 때 모양이 변하지 않는 글자는 모두 몇 개입니까?

(   )개

18 도형을 아래쪽으로 **7**번 뒤집었을 때의 도형을 그려 보시오.

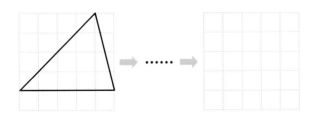

19 주어진 모양으로 돌리기를 이용하여 규칙적인 무늬를 만들어 보시오.

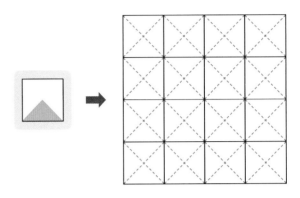

20 숫자 '**6**'이 '**9**'가 되도록 돌리는 방법을 설명해 보시오.

처음 모양   움직인 모양

방법

_____

_____

_____

memo

4 1

초등 수학
팩토

단
원별
계
산력
수
학

5
단원

막대그래프

매스티안

5 막대그래프

Teaching Guide

- 이 단원에서 배우는 막대그래프는 보통 교실 안의 책상이나 의자의 개수처럼 셀 수 있는 양을 나타내는 자료에 사용합니다. 반면 앞으로 배울 꺾은선그래프는 일반적으로 물의 양처럼 연속된 양을 나타내는 자료에 사용합니다. 막대그래프는 자료의 범주를 시각적으로 빠르게 비교하는 데 사용되며, 꺾은선그래프는 시간이 지나면서 이루어지는 경향을 나타내는 데 효과적입니다.

- 막대그래프에서 양의 크기는 막대의 폭이 아니라 막대의 길이로 나타낸다는 점을 알게 해 줍니다. 또 막대의 폭이나 막대와 막대 사이의 간격을 일정하게 그리면 좋은 점에 대해 이야기해 보도록 합니다.

5. 여러 가지 그래프

· 그림그래프, 띠그래프, 원그래프
  나타내기와 해석하기

6-1

자료의 정리와 해석

중학 **1-2**

대표값과 산포도

중학 **3-2**

상관관계

중학 **3-2**

---

6. 평균과 가능성

· 평균
· 일이 일어날 가능성

5-2

경우의 수

중학 **2-2**

확률

중학 **2-2**

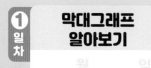
공부한 날짜

①일차 **막대그래프 알아보기**
월   일

②일차 **막대그래프 내용 알아보기**
월   일

③일차 **막대그래프 그리기**
월   일

④일차 **막대그래프로 이야기 만들어 보기**
월   일

⑤일차 응용 문제
월   일

⑥일차 형성 평가
월   일

⑦일차 단원 평가
월   일

01 막대그래프 알아보기

● 막대그래프: 조사한 자료를 막대 모양으로 나타낸 그래프

좋아하는 과일별 학생 수 ← 그래프 제목

세로는 조사한 자료 수(학생 수) →

눈금 5칸이 10명이므로
눈금 1칸은 10÷5=2(명)

가로는 항목(과일)

학생 수 / 과일   수박   사과   귤   포도

---

1 눈금 한 칸은 얼마를 나타내는지 　 안에 써넣으시오.

좋아하는 과목별 학생 수

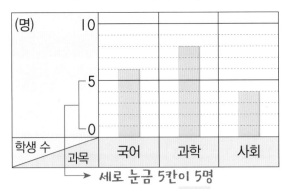

→ 세로 눈금 5칸이 5명

세로 눈금 1칸: 　 명

└─ 5÷5

종류별 책의 수

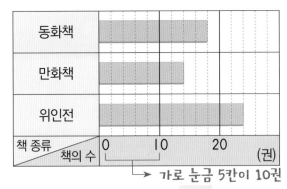

→ 가로 눈금 5칸이 10권

가로 눈금 1칸: 　 권

좋아하는 간식별 학생 수

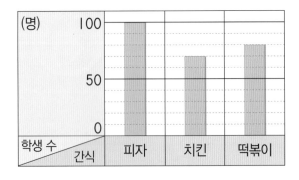

세로 눈금 1칸: 　 명

배우고 싶은 악기별 학생 수

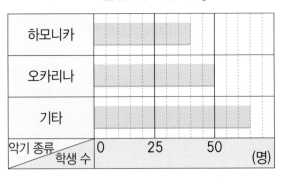

가로 눈금 1칸: 　 명

② 막대그래프에서 각각은 무엇을 나타내는지 써 보시오.

보기

좋아하는 색깔별 학생 수

가로: 색깔　세로: 학생 수

막대 길이: 좋아하는 색깔별 학생 수

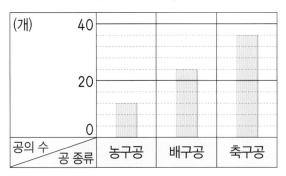

체육관에 있는 공의 수

가로: 공 종류　세로:

막대 길이:

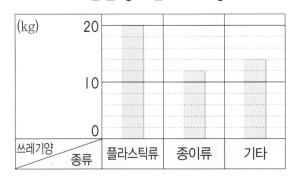

배출된 종류별 쓰레기양

가로:　　　세로:

막대 길이:

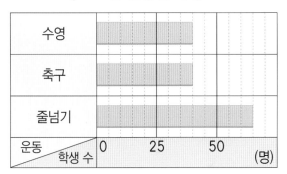

좋아하는 운동별 학생 수

가로:　　　세로:

막대 길이:

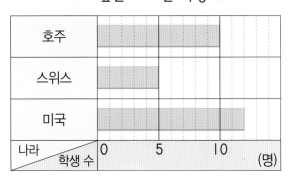

가고 싶은 나라별 학생 수

가로:　　　세로:

막대 길이:

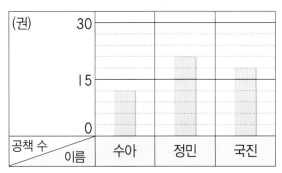

가지고 있는 공책 수

가로:　　　세로:

막대 길이:

막대그래프를 보고 ▨ 안에 알맞은 수를 써넣으시오.

보기

좋아하는 동물별 학생 수

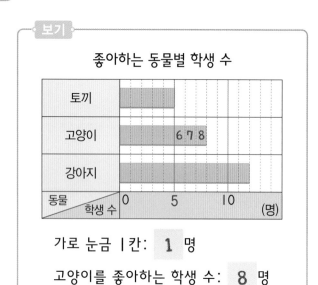

가로 눈금 1칸: **1** 명

고양이를 좋아하는 학생 수: **8** 명

좋아하는 과일별 학생 수

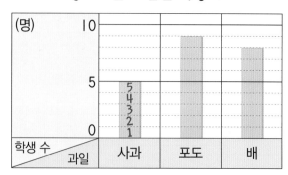

세로 눈금 1칸: ▨ 명

사과를 좋아하는 학생 수: ▨ 명

혈액형별 학생 수

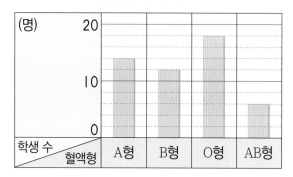

세로 눈금 1칸: ▨ 명

O형인 학생 수: ▨ 명

한 달 동안 읽은 책의 수

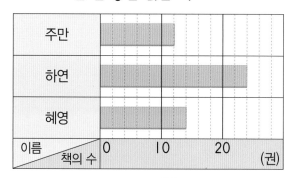

가로 눈금 1칸: ▨ 권

주만이가 읽은 책의 수: ▨ 권

장래 희망별 학생 수

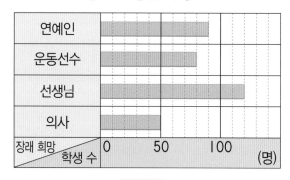

가로 눈금 1칸: ▨ 명

장래 희망이 연예인인 학생 수: ▨ 명

기르고 있는 동물 수

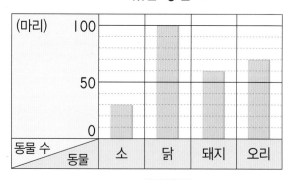

세로 눈금 1칸: ▨ 마리

기르고 있는 오리 수: ▨ 마리

4 막대그래프를 보고 ▨ 안에 알맞게 써넣으시오.

강좌별 수강생 수

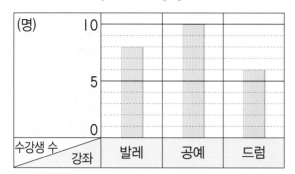

- 가로: **강좌** , 세로: ▨
- 막대의 길이: ▨
- 세로 눈금 1칸: ▨ 명
- 발레를 수강하는 수강생 수: ▨ 명

좋아하는 꽃별 학생 수

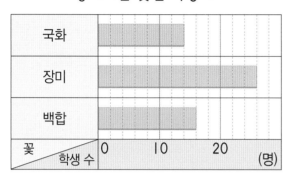

- 가로: ▨ , 세로: ▨
- 막대의 길이: ▨
- 가로 눈금 1칸: ▨ 명
- 백합을 좋아하는 학생 수: ▨ 명

좋아하는 계절별 학생 수

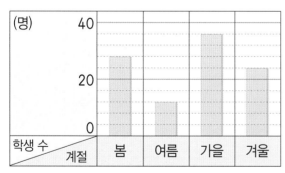

- 가로: ▨ , 세로: ▨
- 막대의 길이: ▨
- 세로 눈금 1칸: ▨ 명
- 여름을 좋아하는 학생 수: ▨ 명

반별 모은 재활용 옷의 수

반 \ 옷의 수	0	50	100	(벌)
1반				
2반				
3반				
4반				

- 가로: ▨ , 세로: ▨
- 막대의 길이: ▨
- 가로 눈금 1칸: ▨ 벌
- 3반이 모은 옷의 수: ▨ 벌

02 막대그래프의 내용 알아보기

정답 35쪽

● 자료별 수량의 많고 적음은 **막대의 길이**로 비교합니다.

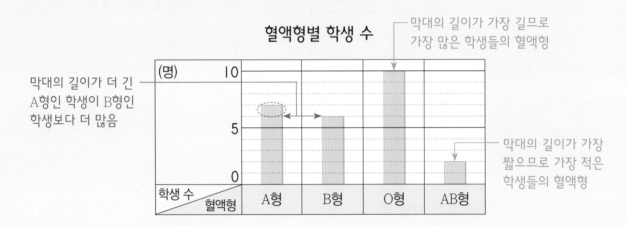

혈액형별 학생 수

막대의 길이가 가장 길므로 가장 많은 학생들의 혈액형

막대의 길이가 더 긴 A형인 학생이 B형인 학생보다 더 많음

막대의 길이가 가장 짧으므로 가장 적은 학생들의 혈액형

1 막대그래프를 보고 설명한 것입니다. 맞는 것에 ○표, 틀린 것에 ✕표 하시오.

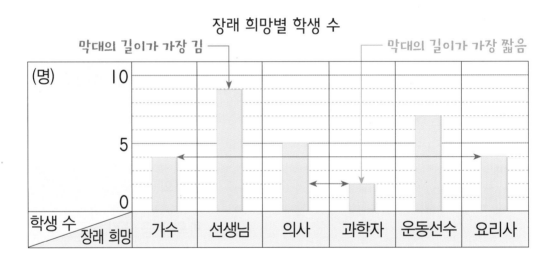

장래 희망별 학생 수

막대의 길이가 가장 김

막대의 길이가 가장 짧음

• 세로 눈금 1칸은 1명을 나타냅니다. (○)

• 가장 많은 학생들의 장래 희망은 선생님입니다. ( )

• 가장 적은 학생들의 장래 희망은 가수입니다. ( )

• 장래 희망이 의사인 학생이 장래 희망이 과학자인 학생보다 더 적습니다. ( )

• 장래 희망이 요리사인 학생과 장래 희망이 가수인 학생의 수는 같습니다. ( )

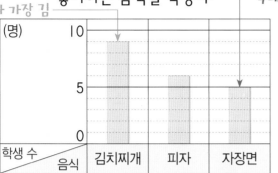

2 막대그래프를 보고 ☐ 안에 알맞게 써넣으시오.

좋아하는 음식별 학생 수

막대의 길이가 가장 김

막대의 길이가 가장 짧음

- 가장 많은 학생들이 좋아하는 음식

  ➡ **김치찌개**

- 가장 적은 학생들이 좋아하는 음식

  ➡

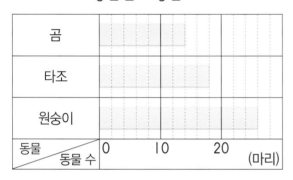

동물원의 동물 수

- 가장 많은 동물 ➡

- 가장 적은 동물 ➡

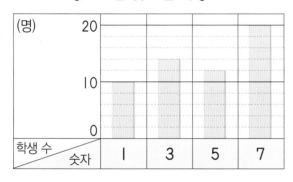

좋아하는 숫자별 학생 수

- 가장 많은 학생들이 좋아하는 숫자

  ➡

- 가장 적은 학생들이 좋아하는 숫자

  ➡

마을별 심은 나무 수

- 나무를 가장 많이 심은 마을

  ➡ ☐ 마을

- 나무를 가장 적게 심은 마을

  ➡ ☐ 마을

마을별 기르는 소의 수

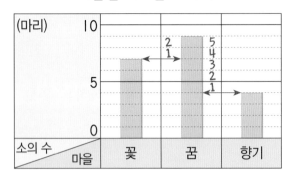

- 꿈 마을에서 기르는 소의 수는 꽃 마을에서 기르는 소의 수보다 **2** 마리 더 많습니다.

- 향기 마을에서 기르는 소의 수는 꿈 마을에서 기르는 소의 수보다 ███ 마리 더 적습니다.

좋아하는 채소별 학생 수

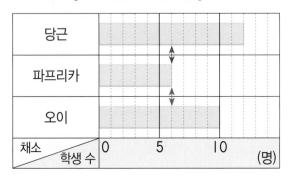

- 당근을 좋아하는 학생은 파프리카를 좋아하는 학생보다 ███ 명 더 많습니다.

- 파프리카를 좋아하는 학생은 오이를 좋아하는 학생보다 ███ 명 더 적습니다.

받고 싶은 선물별 학생 수

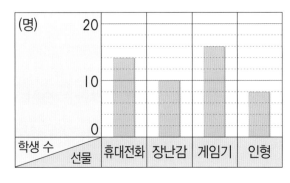

- 휴대전화를 받고 싶은 학생은 장난감을 받고 싶은 학생보다 ███ 명 더 많습니다.

- 인형을 받고 싶은 학생은 게임기를 받고 싶은 학생보다 ███ 명 더 적습니다.

좋아하는 주스별 학생 수

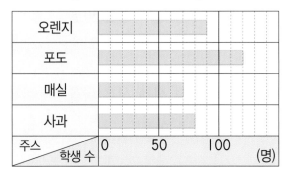

- 오렌지 주스를 좋아하는 학생은 매실 주스를 좋아하는 학생보다 ███ 명 더 많습니다.

- 사과 주스를 좋아하는 학생은 포도 주스를 좋아하는 학생보다 ███ 명 더 적습니다.

4 표와 막대그래프를 보고 ☐ 안에 알맞게 써넣고, 더 편리한 방법에 ○표 하시오.

가고 싶어 하는 수학여행 장소별 학생 수

장소	제주도	경주	강원도	부산	부여	합계
학생 수(명)	56	40	20	28	16	160

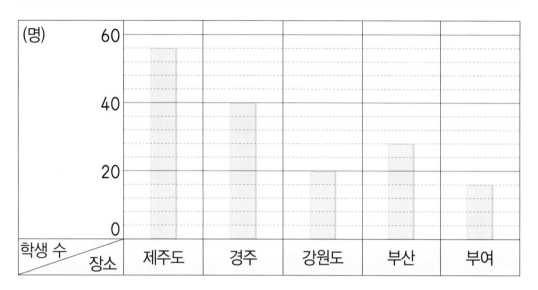

알 수 있는 사실		편리한 방법

• 가고 싶은 장소가 경주인 학생은 **40** 명입니다. ➡ ((표) , 막대그래프)

• 가장 많은 학생들이 가고 싶은 장소는 ☐ 입니다. ➡ (표 , 막대그래프)

• 가고 싶은 장소가 강원도인 학생은 부산인 학생보다
  ☐ 명 더 적습니다. ➡ (표 , 막대그래프)

• 가장 적은 학생들이 가고 싶은 장소는 ☐ 입니다. ➡ (표 , 막대그래프)

• 조사에 참여한 학생은 모두 ☐ 명입니다. ➡ (표 , 막대그래프)

03 🐦 막대그래프 그리기

정답 36쪽

● 표를 막대그래프로 나타내기

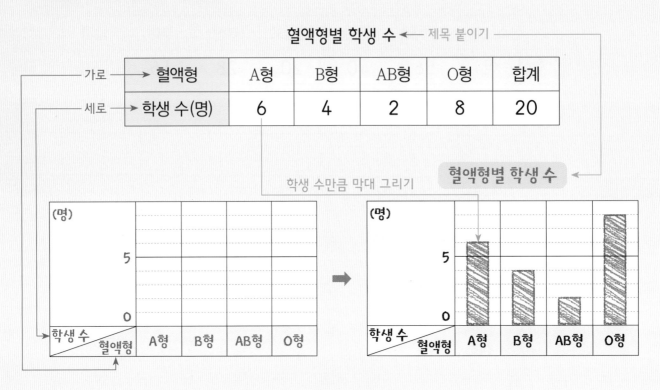

혈액형별 학생 수 ← 제목 붙이기

혈액형	A형	B형	AB형	O형	합계
학생 수(명)	6	4	2	8	20

가로 → 혈액형
세로 → 학생 수(명)

학생 수만큼 막대 그리기

혈액형별 학생 수

🦔 **1** 표를 보고 막대그래프로 나타내시오.

좋아하는 취미 활동별 학생 수

취미 활동	운동	노래	게임	합계
학생 수 (명)	4	9	8	21

종류별 필기도구 수

종류	연필	볼펜	사인펜	형광펜	합계
필기도구 수 (자루)	10	6	3	4	23

좋아하는 취미 활동별 학생 수

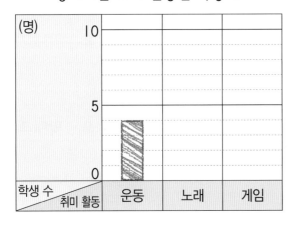

종류별 필기도구 수

2 주어진 자료를 보고 표와 막대그래프를 완성하시오.

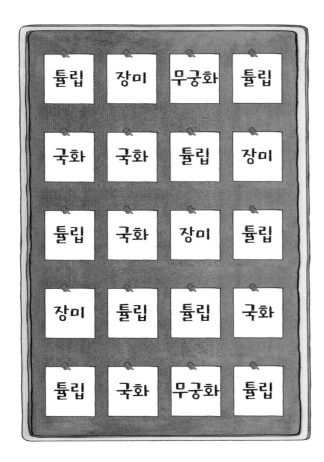

좋아하는 과일별 학생 수

과일	포도	파인애플	사과	합계
학생 수 (명)	2			

좋아하는 과일별 학생 수

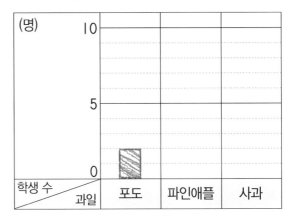

좋아하는 꽃별 학생 수

꽃	튤립	장미	무궁화	국화	합계
학생 수 (명)					

좋아하는 꽃별 학생 수

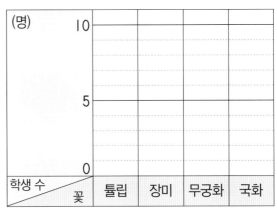

3 주어진 자료를 보고 표와 막대그래프를 완성하시오.

좋아하는 과일 맛 음료별 학생 수

음료	바나나 맛	딸기 맛	사과 맛	합계
학생 수 (명)	3			

좋아하는 과일 맛 음료별 학생 수

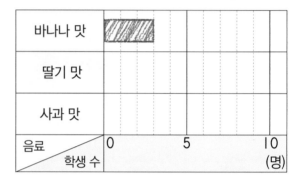

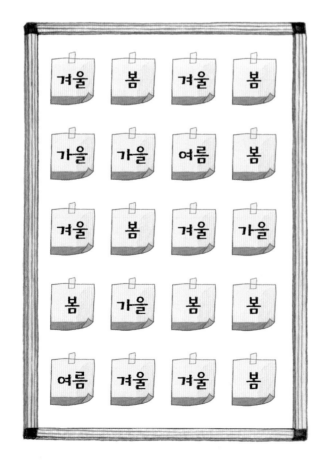

좋아하는 계절별 학생 수

계절	봄	여름	가을	겨울	합계
학생 수 (명)					

좋아하는 계절별 학생 수

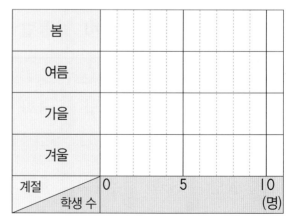

4 빈칸에 알맞은 수나 말을 써넣고 표와 막대그래프를 완성하시오.

가고 싶어 하는 장소별 학생 수

장소	놀이동산	바다	영화관	박물관	합계
학생 수(명)	9	6	8	3	

(명)

0

학생 수 / 장소

좋아하는 간식별 학생 수

간식	떡볶이	핫도그	샌드위치	김밥	합계
학생 수(명)	4	11	8	4	

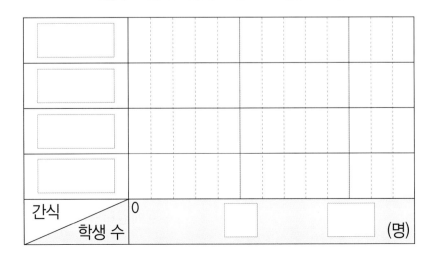

04 막대그래프로 이야기 만들어 보기

정답 37쪽

좋아하는 간식별 학생 수

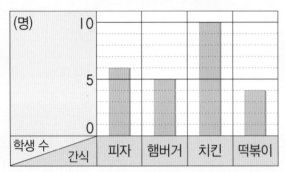

┌ 햄버거를 좋아하는 학생은 5명입니다.
├ 떡볶이를 좋아하는 학생은 5명보다 적습니다.
├ 피자를 좋아하는 학생은 떡볶이를 좋아하는 학생보다 2명 더 많습니다.
└ 간식을 한 종류만 산다면 치킨을 사는 것이 좋겠습니다.
　　　　　↑ 치킨을 가장 많은 학생들이 좋아하므로

1 주어진 그래프에 대한 설명으로 알맞은 것을 모두 찾아 ○표 하시오.

좋아하는 동물별 학생 수

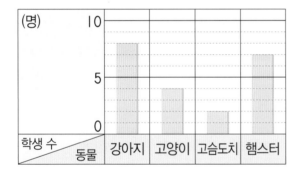

○ 고양이를 좋아하는 학생은 5명보다 많습니다.

○ 햄스터를 좋아하는 학생은 두 번째로 많습니다.

○ 고슴도치를 좋아하는 학생은 2명입니다.

○ 강아지를 좋아하는 학생은 고양이를 좋아하는 학생보다 5명 더 많습니다.

12월 날씨별 날수

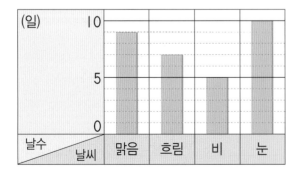

○ 이달의 맑은 날은 8일입니다.

○ 이달의 흐린 날은 비 온 날보다 3일 더 많습니다.

○ 이달의 눈 온 날 수는 비 온 날수의 2배입니다.

○ 이달은 눈 온 날이 가장 많습니다.

② 막대그래프에 대한 설명을 읽고, 안에 알맞은 이름을 써넣으시오.

<table>
<tr><td>지효네 반</td></tr>
<tr><td>겨울을 좋아하는 학생은 가을을 좋아하는 학생보다 1명 더 적습니다. 봄을 좋아하는 학생은 5명보다 많습니다.</td></tr>
</table>

<table>
<tr><td>현희네 반</td></tr>
<tr><td>가장 적은 학생들이 좋아하는 계절은 가을입니다. 여름과 겨울을 좋아하는 학생은 6명으로 같습니다.</td></tr>
</table>

<table>
<tr><td>석호네 반</td></tr>
<tr><td>여름을 좋아하는 학생은 두 번째로 많습니다. 가을을 좋아하는 학생은 5명보다 적습니다.</td></tr>
</table>

<table>
<tr><td>인화네 반</td></tr>
<tr><td>봄을 좋아하는 학생은 여름을 좋아하는 학생보다 2명 더 많습니다. 가을을 좋아하는 학생은 9명입니다.</td></tr>
</table>

네 반

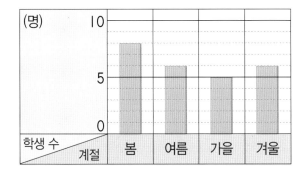

네 반

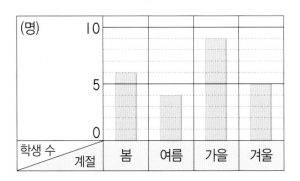

네 반

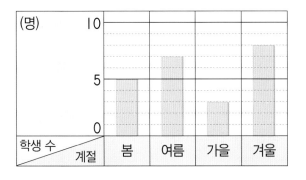

네 반

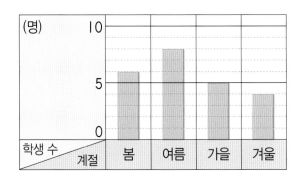

막대그래프를 보고 　　 안에 알맞은 말을 써넣으시오.

키우고 싶은 채소별 학생 수

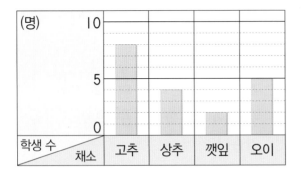

- 가장 많은 학생들이 키우고 싶은 채소: 　　
- 가장 적은 학생들이 키우고 싶은 채소: 　　
- 텃밭에서 채소를 키운다면 　　 을/를 키우는 게 좋을 것 같습니다.

일주일 동안 버려진 쓰레기양

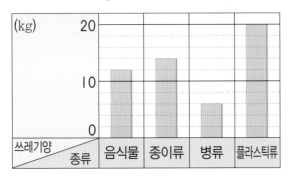

- 가장 많이 버려진 쓰레기: 　　
- 가장 적게 버려진 쓰레기: 　　
- 줄이도록 노력해야 하는 쓰레기의 종류는 　　 입니다.

좋아하는 과일별 학생 수

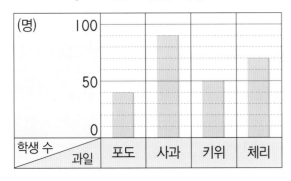

- 가장 많은 학생들이 좋아하는 과일: 　　
- 가장 적은 학생들이 좋아하는 과일: 　　
- 학생들에게 줄 과일을 한 가지 준비한다면 　　 를 준비하는 게 좋을 것 같습니다.

좋아하는 색깔별 학생 수

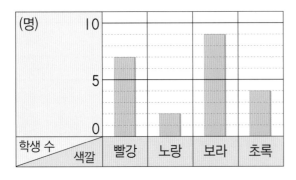

- 가장 많은 학생들이 좋아하는 색깔: 　　
- 가장 적은 학생들이 좋아하는 색깔: 　　
- 반 모자를 산다면 　　 색 모자를 사는 게 좋을 것 같습니다.

4 민주네 반 학생들이 가고 싶은 체험 학습 장소를 조사한 자료입니다. 빈칸에 알맞게 써넣고 막대그래프를 완성하시오.

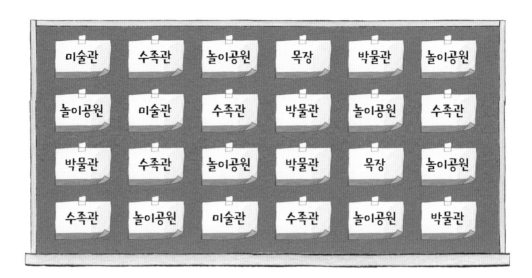

장소						합계
학생 수(명)						

(명)

0

학생 수 / 장소					

- 수족관에 가고 싶은 학생은 목장에 가고 싶은 학생보다   명 더 많습니다.

- 많은 학생들이 가고 싶은 장소부터 차례로 쓰면   ,   ,

          ,   ,   입니다.

- 민주네 반의 체험 학습은   으로 가는 것이 좋을 것 같습니다.

도전! 응용문제

정답 38쪽

💡 **표와 막대그래프 완성하기**

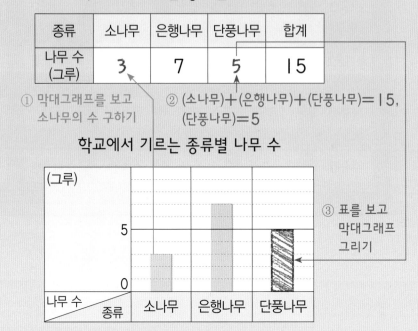

학교에서 기르는 종류별 나무 수

종류	소나무	은행나무	단풍나무	합계
나무 수 (그루)	3	7	5	15

① 막대그래프를 보고 소나무의 수 구하기

② (소나무)+(은행나무)+(단풍나무)=15, (단풍나무)=5

③ 표를 보고 막대그래프 그리기

응용 ① **표와 막대그래프를 완성하시오.**

월별 독서량

월	9월	10월	11월	합계
독서량 (권)	5	7		21

좋아하는 민속놀이별 학생 수

민속놀이	연날리기	윷놀이	팽이치기	합계
학생 수 (명)	9	6		

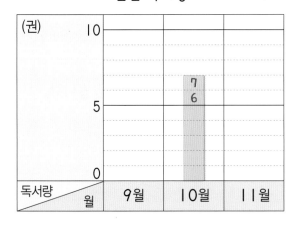

월별 독서량

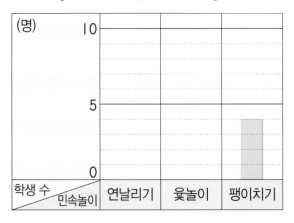

좋아하는 민속놀이별 학생 수

가고 싶어 하는 산별 학생 수

산	지리산	설악산	백두산	한라산	합계
학생 수 (명)	8		3	4	

마을별 나무 수

마을	사랑	행복	꿈	평화	합계
나무 수 (그루)	100		240		640

가고 싶어 하는 산별 학생 수

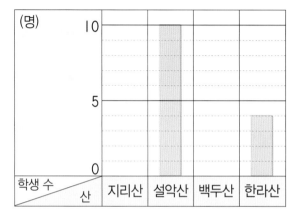

마을별 나무 수

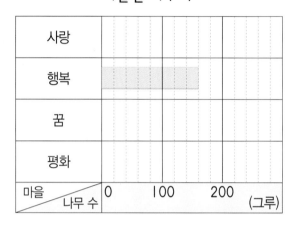

종류별 동전 수

종류	10원	50원	100원	500원	합계
동전 수 (개)		8	18		

줄넘기 기록

이름	정민	석진	유정	민영	합계
기록(번)	330	150			960

종류별 동전 수

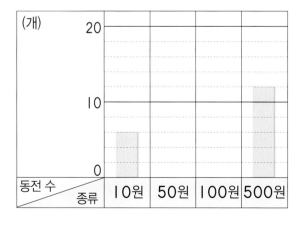

줄넘기 기록

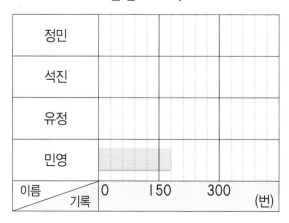

두 가지 항목을 나타낸 막대그래프

좋아하는 취미 활동별 학생 수

(명)

	3칸	7 6	4칸	4 3 2 1	2칸	5 4 3 2 1	1칸	6

학생 수 / 취미 활동: 노래, 운동, 춤, 독서

■ 남학생　■ 여학생

- 남학생 수와 여학생 수의 차가 가장 작은 취미 활동: 독서
  └ 막대의 길이 차가 가장 짧은 것

- 전체 여학생 수:
  $$7+4+5+6=22(명)$$
  └ 여학생 막대의 수를 모두 더함

응용 ③ 막대그래프를 보고 　 안에 알맞은 수나 말을 써넣으시오.

농장별 기르는 소의 수

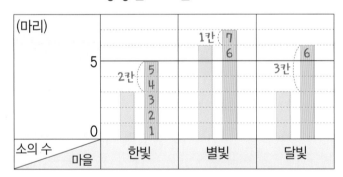

■ 수소　■ 암소

- 수소와 암소의 차가 가장 큰 마을:
  　 마을

- 수소와 암소의 차가 가장 작은 마을:
  　 마을

- 세 마을의 전체 암소의 수: 　 마리

전학 온 학생 수와 전학 간 학생 수

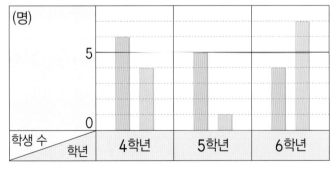

■ 전학 온 학생　■ 전학 간 학생

- 전학 온 학생 수와 전학 간 학생 수의 차가 가장 큰 학년: 　 학년

- 전학 온 학생 수와 전학 간 학생 수의 차가 가장 작은 학년: 　 학년

- 세 학년의 전학 온 전체 학생 수:
  　 명

22

응용 4 막대그래프를 보고 ☐ 안에 알맞은 수나 말을 써넣으시오.

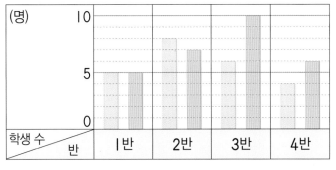

반별 달리기 대회에 참가한 학생 수

- 참가한 남학생 수와 여학생 수의 차가 가장 큰 반: ☐ 반
- 참가한 남학생 수와 여학생 수의 차가 가장 작은 반: ☐ 반
- 달리기 대회에 참가한 전체 남학생 수: ☐ 명

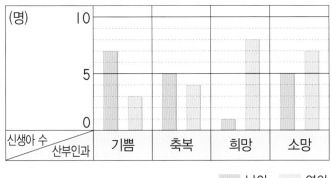

하루 동안 태어난 신생아 수

- 남아가 가장 많이 태어난 산부인과: ☐ 산부인과
- 태어난 남아 수와 여아 수의 차가 가장 작은 산부인과: ☐ 산부인과
- 소망 산부인과에서 태어난 전체 신생아 수: ☐ 명

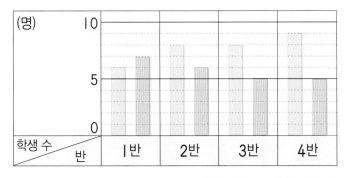

캠프에 참가한 학생 수

- 캠프에 참가한 학생 중 여학생이 더 많은 반: ☐ 반
- 캠프에 참가한 남학생 수와 여학생 수의 차가 가장 큰 반: ☐ 반
- 캠프에 참가한 전체 남학생 수: ☐ 명
- 캠프에 참가한 전체 학생 수: ☐ 명

[01~03] 정민이네 반 학생들이 좋아하는 과목을 조사하여 나타낸 막대그래프입니다. 물음에 답하시오.

좋아하는 과목별 학생 수

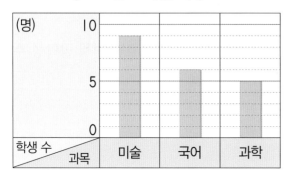

01 눈금 한 칸은 몇 명을 나타냅니까?

(　　　　　)명

02 막대그래프에서 가로와 세로는 각각 무엇을 나타냅니까?

가로 (　　　　　)

세로 (　　　　　)

03 막대의 길이는 무엇을 나타냅니까?

(　　　　　　　　　)

[04~05] 태연이네 반 학생들이 좋아하는 체육 활동을 조사하여 나타낸 막대그래프입니다. 물음에 답하시오.

좋아하는 체육 활동별 학생 수

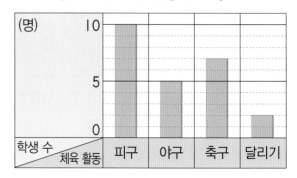

04 　안에 알맞게 써넣으시오.

• 가로: 　　　　, 세로: 　　　

• 막대의 길이: 　　　　

• 세로 눈금 1칸: 　　명

• 야구를 좋아하는 학생 수: 　　명

05 피구를 좋아하는 학생 수는 몇 명입니까?

(　　　　　)명

[06~08] 영지네 반 학생들이 좋아하는 계절을 조사하여 나타낸 막대그래프입니다. 물음에 답하시오.

좋아하는 계절별 학생 수

계절 \ 학생 수	0	5	10 (명)
봄			
여름			
가을			
겨울			

06 막대그래프를 보고 설명한 것 중 맞는 것에 ○표 하시오.

• 봄을 좋아하는 학생 수는 겨울을 좋아하는 학생 수의 3배입니다. (   )

• 여름을 좋아하는 학생이 겨울을 좋아하는 학생보다 더 많습니다. (   )

07 가장 많은 학생들이 좋아하는 계절은 무엇입니까?

(   )

08 가장 적은 학생들이 좋아하는 계절은 무엇입니까?

(   )

[09~11] 진수네 모둠의 줄넘기 기록을 나타낸 표와 막대그래프입니다. 물음에 답하시오.

줄넘기 기록

이름	진수	유진	덕희	영성
기록(번)	140	100	180	60

줄넘기 기록

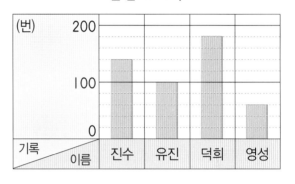

09 유진이의 줄넘기 기록은 덕희의 줄넘기 기록보다 몇 번 더 적습니까?

(   )번

10 줄넘기를 가장 많이 한 학생의 이름을 쓰시오.

(   )

11 진수의 줄넘기 기록을 알아보려면 표와 막대그래프 중 어느 자료가 더 편리합니까?

(   )

[12~13] 표를 보고 막대그래프로 나타내시오.

12　　　　　사는 마을별 학생 수

마을	향기	가람	산내	합계
학생 수 (명)	6	8	4	18

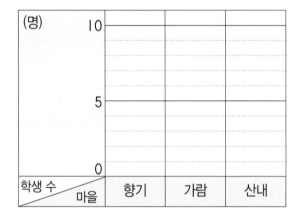

사는 마을별 학생 수

13　　　　좋아하는 동물별 학생 수

동물	기린	사자	판다	하마	합계
학생 수 (명)	4	7	10	3	24

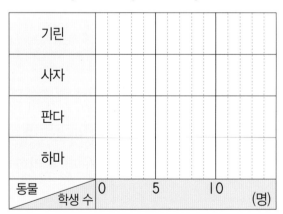

좋아하는 동물별 학생 수

[14~15] 주리네 반 학생들이 심고 싶어 하는 작물을 조사한 자료입니다. 물음에 답하시오.

14 조사한 자료를 보고 표를 완성하시오.

심고 싶어 하는 작물별 학생 수

작물	토마토	배추	당근	가지	합계
학생 수 (명)					

15 **14**의 표를 보고 막대그래프로 나타내시오.

심고 싶어 하는 작물별 학생 수

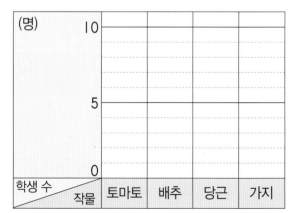

16

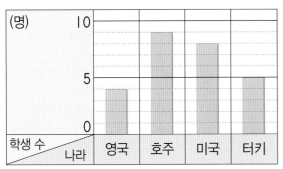

좋아하는 나라별 학생 수

┌─────────────────────────┐
│ ㉠ 호주를 좋아하는 학생은 │
│   10명보다 많습니다. │
│ ㉡ 미국을 좋아하는 학생은 │
│   두 번째로 많습니다. │
└─────────────────────────┘

(   )

17

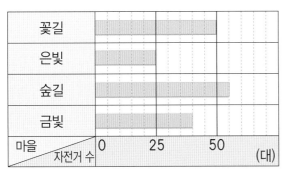

마을의 자전거 수

┌─────────────────────────┐
│ ㉠ 숲길 마을의 자전거가 가장 많 │
│   습니다. │
│ ㉡ 꽃길 마을 자전거가 은빛 마을 │
│   자전거보다 5대 더 많습니다. │
└─────────────────────────┘

(   )

[18~20] 희정이네 반 학생들이 좋아하는 과일을 조사하여 나타낸 막대그래프입니다. 물음에 답하시오.

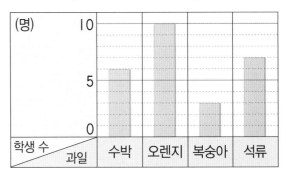

좋아하는 과일별 학생 수

18 많은 학생들이 좋아하는 과일부터 차례로 쓰시오.

─   ─   ─

19 석류를 좋아하는 학생은 복숭아를 좋아하는 학생보다 몇 명 더 많습니까?

(   )명

20 희정이네 반에서 과일을 준비한다면 무엇을 준비하는 게 좋겠습니까?

(   )

[1~3] 연우네 반 학생들의 배우고 싶어 하는 악기를 조사하여 나타낸 그래프입니다. 물음에 답하시오.

배우고 싶어 하는 악기별 학생 수

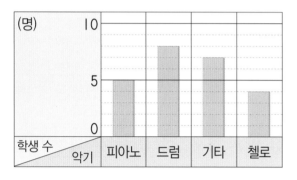

1 위와 같이 조사한 수를 막대 모양으로 나타낸 그래프를 무엇이라고 합니까?

(   )

2 그래프에서 가로와 세로는 각각 무엇을 나타냅니까?

가로 (   )

세로 (   )

3 배우고 싶어 하는 악기가 피아노인 학생은 몇 명입니까?

(   )명

[4~5] 하연이네 반 학생들이 현장 체험 학습으로 가고 싶어 하는 장소를 조사하여 나타낸 표입니다. 물음에 답하시오.

가고 싶어 하는 장소별 학생 수

장소	놀이공원	수영장	과학관	미술관	합계
학생 수 (명)	9	6	2	4	21

4 표를 보고 막대그래프로 나타내시오.

가고 싶어 하는 장소별 학생 수

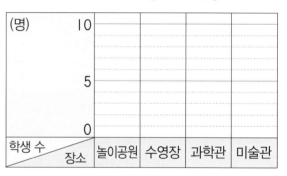

5 가장 많은 학생들이 가고 싶어 하는 장소를 알아보려면 표와 막대그래프 중 어느 자료가 더 편리합니까?

(   )

[6~8] 지민이네 반 학생들이 좋아하는 간식을 조사한 것입니다. 물음에 답하시오.

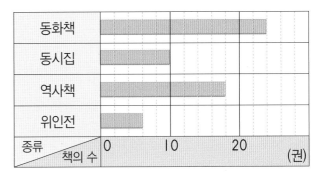

6 조사한 것을 보고 표를 완성하시오.

좋아하는 간식별 학생 수

간식	햄버거	피자	떡볶이	마카롱	합계
학생 수 (명)					

7 6의 표를 보고 막대그래프로 나타내시오.

좋아하는 간식별 학생 수

(명)	10			
	5			
	0			
학생 수 / 간식	햄버거	피자	떡볶이	마카롱

8 지민이네 반 학생들을 위하여 간식을 한 가지 준비한다면 무엇을 준비하는 게 좋겠습니까?

( )

[9~11] 유정이네 반 학급 도서를 조사하여 나타낸 막대그래프입니다. 물음에 답하시오.

종류별 책의 수

9 그래프에서 가로와 세로는 각각 무엇을 나타냅니까?

가로 ( )
세로 ( )

10 가로 눈금 한 칸은 몇 권을 나타냅니까?

( )권

11 동화책 수는 위인전 수의 몇 배입니까?

( )배

[12~14] 민영이네 반 학생들이 배우고 싶어 하는 운동을 조사하여 나타낸 막대그래프입니다. 물음에 답하시오.

배우고 싶어 하는 운동별 학생 수

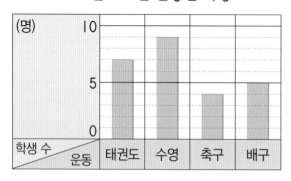

12 막대의 길이는 무엇을 나타냅니까?

( )

13 수영을 배우고 싶어 하는 학생은 배구를 배우고 싶어 하는 학생보다 몇 명 더 많습니까?

( )명

14 배우고 싶어 하는 운동별 학생 수가 적은 순서대로 운동을 쓰시오.

　　　　 － 　　　　 － 　　　　 － 　　　　

[15~16] 정국이네 농장에서 기르고 있는 동물 수를 조사하여 나타낸 표와 막대그래프입니다. 물음에 답하시오.

기르고 있는 동물 수

동물	소	돼지	오리	닭	합계
동물 수 (마리)	4	8		12	40

기르고 있는 동물 수

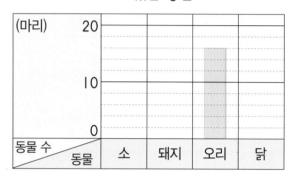

15 표와 막대그래프를 완성하시오.

16 위 막대그래프를 보고 알 수 있는 사실을 <u>잘못</u> 나타낸 것을 찾아 기호를 쓰시오.

> ㉠ 세로 눈금 한 칸은 2마리를 나타냅니다.
>
> ㉡ 농장에서 가장 많은 동물은 오리입니다.
>
> ㉢ 농장의 오리의 수는 소의 수의 3배입니다.

( )

[17~18] 네 마을에 살고 있는 4학년 학생 수를 조사하여 나타낸 막대그래프입니다. 물음에 답하시오.

마을별 4학년 학생 수

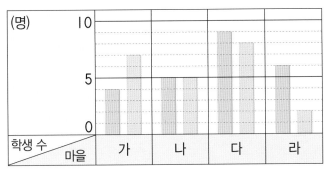

남학생　여학생

17 마을에 살고 있는 4학년 남학생 수와 여학생 수의 차가 가장 큰 마을은 어느 마을입니까?

(　　　　) 마을

18 네 마을에 살고 있는 4학년 전체 여학생 수는 몇 명인지 풀이 과정을 쓰고 답을 구하시오.

풀이

답

[19~20] 준호네 반 25명의 학생들이 좋아하는 TV 프로그램을 조사하여 나타낸 막대그래프입니다. 물음에 답하시오.

좋아하는 TV 프로그램별 학생 수

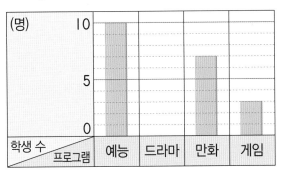

19 드라마를 좋아하는 학생은 몇 명입니까?

(　　　　)명

20 가장 많은 학생들이 좋아하는 프로그램과 가장 적은 학생들이 좋아하는 프로그램의 학생 수의 차는 몇 명인지 풀이 과정을 쓰고 답을 구하시오.

풀이

답

memo

FACTO
school

4-1
초등 수학
팩토

단원별 산력 수학

6단원

규칙 찾기

매스티안

6. 규칙 찾기

· 수 배열표에서 수의 규칙 찾기
· 변화하는 모양에서 규칙 찾기
· 계산식의 배열에서 규칙 찾기

4-1

5. 시계 보기와 규칙 찾기

· '몇 시', '몇 시 30분'
· 물체, 무늬, 수 배열에서 규칙 찾기

1-2

4. 비와 비율

· 비
· 비율을 분수, 소수, 백분율로 나타내기

6-1

2-2

5-1

6. 규칙 찾기

· 덧셈표, 곱셈표에서 규칙 찾기
· 여러 가지 무늬, 쌓은 모양, 생활에서 규칙 찾기

3. 규칙과 대응

· 대응 관계
· 대응 관계를 식으로 나타내기

6 규칙 찾기

Teaching Guide

규칙을 발견해 낼 수 있으나 규칙을 만드는 것을 어려워하는 경우에는 주어진 규칙을 변형하여 유사한 규칙을 만들어 보는 것부터 지도해 봅니다.

〈모양의 배열에서 규칙 찾기〉　　　　　　〈유사한 패턴 만들어 보기〉

▲ ● ▲ ● ▲ ● ▲ : AB-패턴　⟶　☆ ◇ ☆ ◇ ☆ ◇ ☆

■ ♥ ■ ♥ ♥ ■ ♥ ♥ : ABB-패턴　⟶　◎ ▽ ▽ ◎ ▽ ▽

4. 비례식과 비례배분
· 비의 성질, 비례식,
  비례식의 성질
· 비례배분

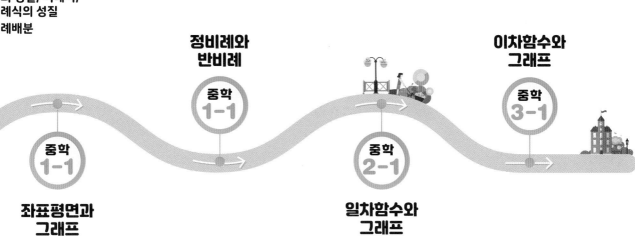

정비례와
반비례

중학
1-1

이차함수와
그래프

중학
3-1

좌표평면과
그래프

중학
1-1

일차함수와
그래프

중학
2-1

공부한 날짜

1일차 수의 배열에서
규칙 찾기
월   일

2일차 도형의 배열에서
규칙 찾기
월   일

3일차 이중 패턴에서
규칙 찾기
월   일

4일차 계산식에서
규칙 찾기
월   일

5일차 응용 문제
월   일

6일차 형성 평가
월   일

7일차 단원 평가
월   일

01 수의 배열에서 규칙 찾기

정답 41쪽

+10 가로 →

111	121	131	141	151	161
211	221	231	241	251	261
311	321	331	341	351	361
411	421	431	441	451	461

+100

세로 ↓

규칙

- 가로(→)는 111부터 오른쪽으로
  10씩 커짐
- 세로(↓)는 111부터 아래쪽으로
  100씩 커짐
- 221부터 ↘ 방향으로 110씩 커짐
- 431부터 ↗ 방향으로 90씩 작아짐

---

1 수 배열의 규칙에 따라 ▨ 안에 알맞은 수를 써넣으시오.

| 401 | 501 | 601 | 701 | 801 | 901 |

규칙
401부터 오른쪽으로
▨ 씩 커짐

| 2301 | 3301 | 4301 | 5301 | 6301 | 7301 |

규칙
2301부터 오른쪽으로
▨ 씩 커짐

| 304 |
| 314 |
| 324 |
| 334 |
| 344 |
| 354 |

규칙
304부터 아래쪽으로
▨ 씩 커짐

| 8671 |
| 7671 |
| 6671 |
| 5671 |
| 4671 |
| 3671 |

규칙
8671부터 아래쪽으로
▨ 씩 작아짐

2 수 배열표의 규칙에 따라 ▨ 안에 알맞은 수를 써넣으시오.

규칙

- 1002부터 오른쪽으로 [100] 씩 커짐
- 1032부터 오른쪽으로 [ ] 씩 커짐

1002	1102	1202	1302	1402	1502
1012	1112	1212	1312	1412	1512
1022	1122	1222	1322	1422	1522
1032	1132	1232	1332		1532

규칙

- 3021부터 아래쪽으로 [ ] 씩 작아짐
- 6021부터 아래쪽으로 [ ] 씩 작아짐

2021	3021	4021	5021	6021	7021
2020	3020	4020	5020	6020	7020
2019	3019	4019	5019		7019
2018		4018	5018	6018	7018

규칙

- 811부터 ↘ 방향으로 [ ] 씩 작아짐
- 831부터 ↘ 방향으로 [ ] 씩 작아짐

811	821	831	841	851	861
711	721	731	741	751	761
611	621	631	641	651	661
511	521	531		551	

규칙

- 397부터 ↗ 방향으로 [ ] 씩 커짐
- 597부터 ↗ 방향으로 [ ] 씩 커짐

400	500	600		800	900
399	499	599	699		899
398	498	598	698	798	898
397	497	597	697	797	897

규칙

- 5000부터 ↙ 방향으로 [ ] 씩 작아짐
- 5002부터 ↙ 방향으로 [ ] 씩 작아짐

5005	5004	5003	5002	5001	5000
4905	4904	4903	4902	4901	4900
4805		4803	4802	4801	4800
4705	4704		4702	4701	4700

규칙

- 3071부터 ↘ 방향으로 [ ] 씩 커짐
- 5071부터 ↘ 방향으로 [ ] 씩 커짐

8101	7101		5101	4101	3101
8091		6091	5091	4091	3091
8081	7081	6081	5081	4081	3081
8071	7071	6071	5071	4071	3071

수 배열표의 규칙에 따라 ☐ 안에 알맞은 수를 써넣으시오.

규칙
오른쪽으로 ☐씩 커지고,
아래쪽으로 ☐씩 커짐

+☐

331	332	333	334	335
	432	433	434	435
			534	535
			634	635

+☐

규칙
오른쪽으로 ☐씩 커지고,
아래쪽으로 ☐씩 커짐

+☐

205	305	405	505	605
215	315	415	515	
225	325	425		
235	335			

+☐

규칙
오른쪽으로 ☐씩 커지고,
아래쪽으로 ☐씩 작아짐

+☐

1563	2563	3563	4563	5563
	2562	3562	4562	5562
				5561
				5560

−☐

규칙
오른쪽으로 ☐씩 작아지고,
아래쪽으로 ☐씩 커짐

−☐

9670	8670			
9680	8680			
9690	8690	7690		5690
9700	8700	7700	6700	5700

+☐

규칙
오른쪽으로 ☐씩 작아지고,
아래쪽으로 ☐씩 작아짐

−☐

5201	4201	3201	2201	1201
	4101	3101	2101	1101
			2001	1001
			1901	901

−☐

규칙
오른쪽으로 ☐씩 작아지고,
아래쪽으로 ☐씩 작아짐

−☐

3192	3191	3190	3189	3188
3182	3181	3180	3179	3178
3172				3168
3162				3158

4 규칙적인 수의 배열에서 빈칸에 알맞은 수를 써넣으시오.

+1000

3563	4563	5563	6563		
		5663	6663	7663	8663

+100

1984	1884	1784	1684		
		1783	1683	1583	1483

	7005	6905	6805		
7095	6995	6895	6795		6595

2021	3021	4021	5021		7021
	3121	4121		6121	

9120	8120	7120			4120
	8119	7119		5119	4119

8106			7906	7806		7606
			7896	7796	7696	7596

정답 42쪽

| 첫째 | 둘째 | 셋째 | 넷째 | 다섯째 |

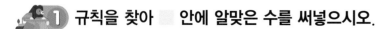

규칙 ●의 개수가 2개에서 시작하여 왼쪽으로 1개씩 늘어납니다.

1 규칙을 찾아 ⬜ 안에 알맞은 수를 써넣으시오.

| 첫째 | 둘째 | 셋째 | 넷째 | 다섯째 |

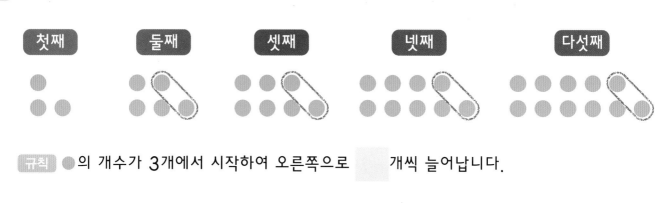

규칙 ●의 개수가 3개에서 시작하여 오른쪽으로 ⬜개씩 늘어납니다.

규칙 ●의 개수가 2개에서 시작하여 왼쪽과 아래쪽으로 각각 ⬜개씩 늘어납니다.

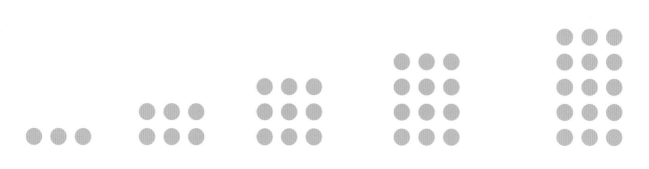

규칙 ●의 개수가 3개에서 시작하여 위쪽으로 ⬜개씩 늘어납니다.

첫째　　　둘째　　　셋째　　　넷째　　　다섯째

3 규칙에 따라 다섯째에 놓일 도형의 개수를 구하시오.

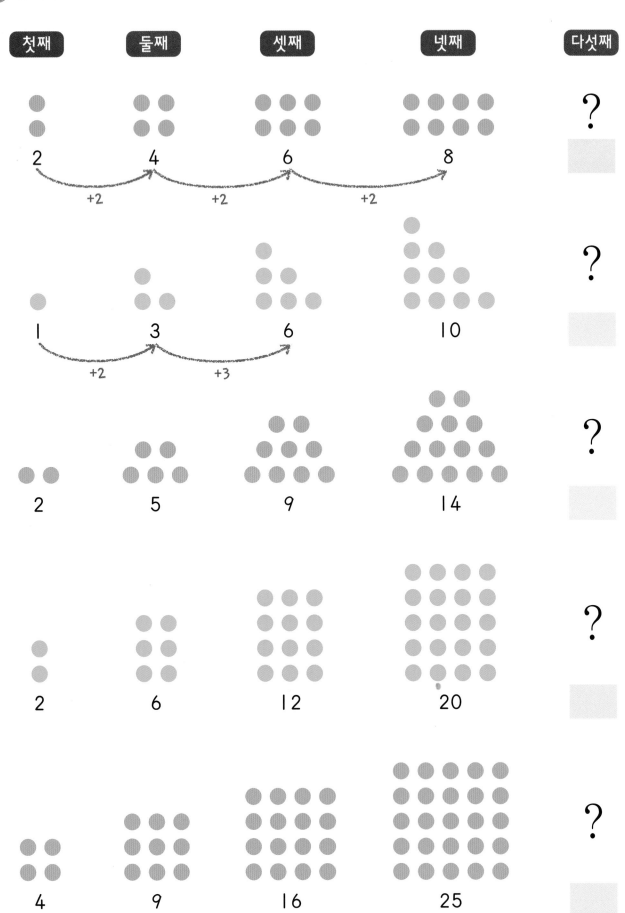

첫째	둘째	셋째	넷째	다섯째

2 4 6 8 ?
+2 +2 +2

1 3 6 10 ?
+2 +3

2 5 9 14 ?

2 6 12 20 ?

4 9 16 25 ?

규칙에 따라 다섯째에 놓일 흰색 바둑돌의 개수를 구하시오.

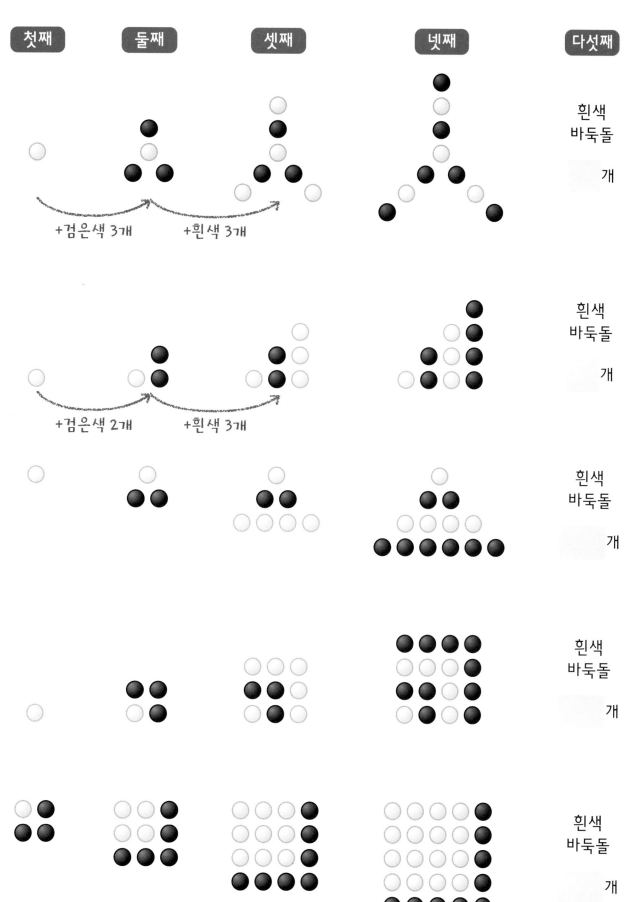

| 첫째 | 둘째 | 셋째 | 넷째 | 다섯째 |

흰색
바둑돌

___ 개

+검은색 3개   +흰색 3개

흰색
바둑돌

___ 개

+검은색 2개   +흰색 3개

흰색
바둑돌

___ 개

흰색
바둑돌

___ 개

흰색
바둑돌

___ 개

03 이중 패턴에서 규칙 찾기

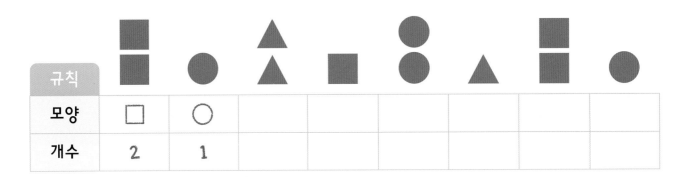

규칙								
모양	□	△	○	□	△	○	□	△
색깔	노란색	파란색	노란색	파란색	노란색	파란색	노란색	파란색

규칙 모양: □, △, ○가 반복

색깔: 노란색, 파란색이 번갈아 가며 칠해짐

1 규칙을 찾아 표를 완성하시오.

규칙								
모양	□	○						
개수	2	1						

규칙								
모양								
색깔								

규칙								
색깔								
안쪽 모양								

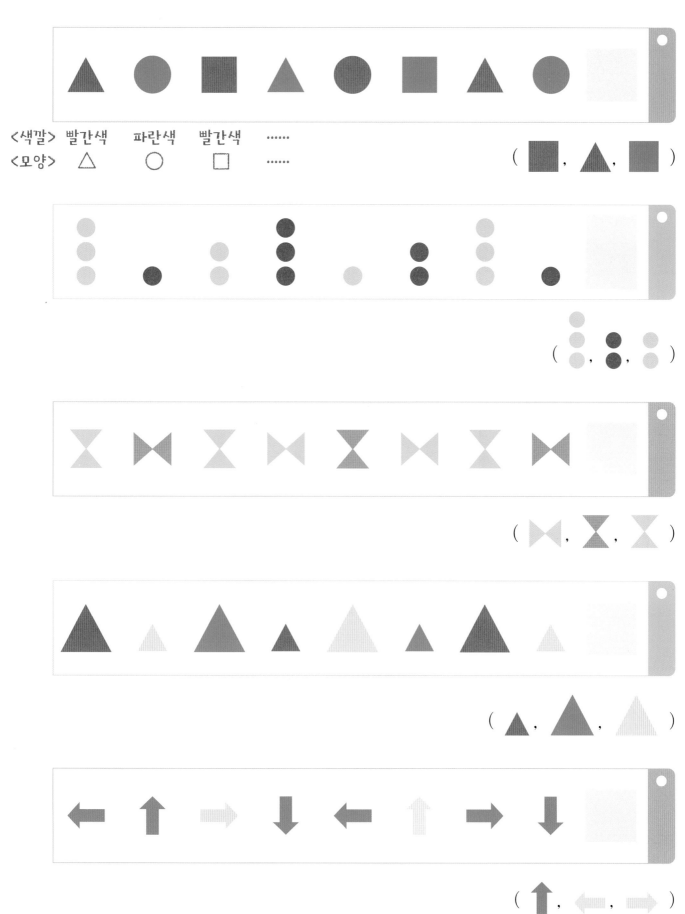

<색깔> 빨간색 파란색 빨간색 ……
<모양> △   ◯   ☐   ……

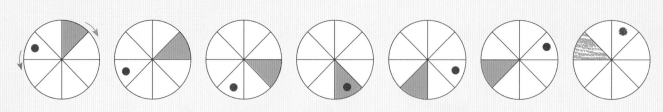

색칠한 부분: 시계 방향으로 **1**칸씩 이동

● 위치: 시계 반대 방향으로 **1**칸씩 이동

3 규칙을 찾아 마지막 그림을 완성하시오. 준비물 색연필

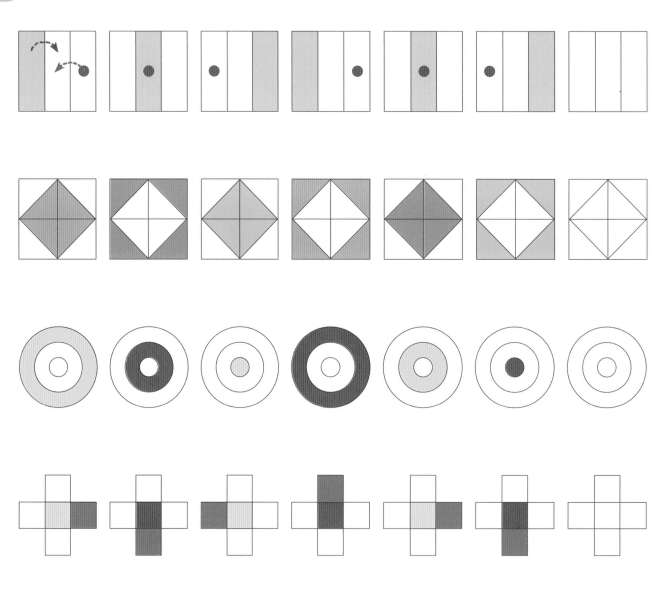

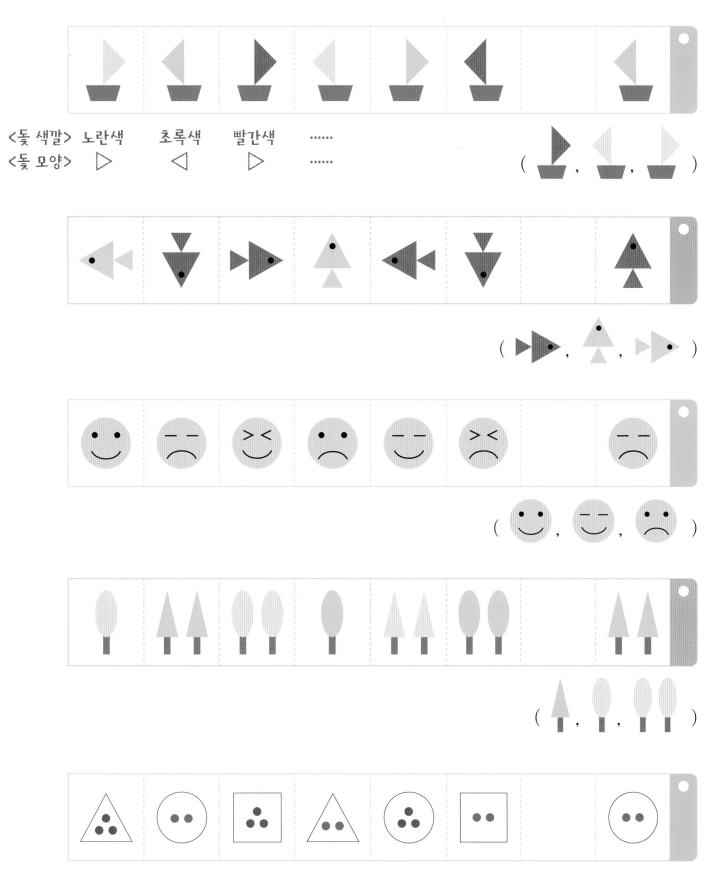

〈돛 색깔〉 노란색   초록색   빨간색   ······

〈돛 모양〉 ▷   ◁   ▷   ······

04 계산식에서 규칙 찾기

정답 44쪽

덧셈식

$101+205=306$

$111+215=326$

$121+225=346$

$131+235=366$

십의 자리 수가
각각 1씩 커짐

십의 자리 수가
2씩 커짐

뺄셈식

$906-501=405$

$806-401=405$

$706-301=405$

$606-201=405$

백의 자리 수가
각각 1씩 작아짐

차가 일정함

---

1 계산식의 규칙에 따라 ▨ 안에 알맞은 식을 써넣으시오.

$148+201=349$
$148+301=449$
$148+401=549$
$148+501=649$

$268-123=145$
$368-223=145$
$468-323=145$
$568-423=145$

$946-35=911$
$846-135=711$
$746-235=511$
$646-335=311$

$75+103=178$
$175+203=378$
$275+303=578$
$375+403=778$

1+1=2
12+21=33
123+321=444

1+11=12
12+111=123
123+1111=1234

78+22=100
778+222=1000
7778+2222=10000

53+58=111
553+558=1111
5553+5558=11111

0+2+4=6
2+4+6=12
4+6+8=18
6+8+10=24

3-3=0
6-3-3=0
9-3-3-3=0
12-3-3-3-3=0

100+300-200=200
200+400-300=300
300+500-400=400
400+600-500=500

100+900-200=800
200+800-300=700
300+700-400=600
400+600-500=500

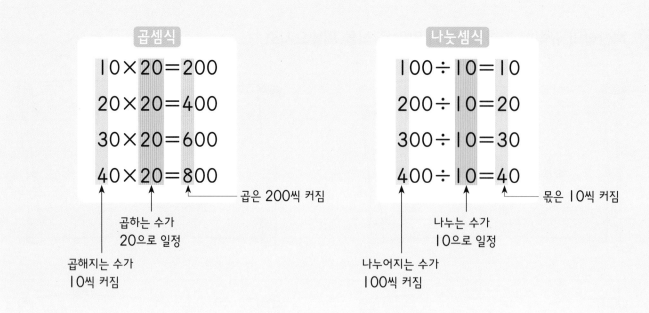

10×20=200

20×20=400

30×20=600

40×20=800

곱은 200씩 커짐

곱하는 수가
20으로 일정

곱해지는 수가
10씩 커짐

나눗셈식

100÷10=10

200÷10=20

300÷10=30

400÷10=40

몫은 10씩 커짐

나누는 수가
10으로 일정

나누어지는 수가
100씩 커짐

3 계산식의 규칙에 따라 ▨ 안에 알맞은 식을 써넣으시오.

50×50=2500

60×50=3000

70×50=3500

80×50=4000

1000÷50=20

800÷40=20

600÷30=20

400÷20=20

180÷6=30

360÷12=30

540÷18=30

720÷24=30

101×11=1111

202×11=2222

303×11=3333

404×11=4444

$$11 \times 11 = 121$$
$$111 \times 111 = 12321$$
$$1111 \times 1111 = 1234321$$

$$111 \div 3 = 37$$
$$222 \div 6 = 37$$
$$333 \div 9 = 37$$

$$321 \div 107 = 3$$
$$3021 \div 1007 = 3$$
$$30021 \div 10007 = 3$$

$$11 \times 11 = 121$$
$$11 \times 22 = 242$$
$$11 \times 33 = 363$$

$$2 \times 9 = 18$$
$$22 \times 9 = 198$$
$$222 \times 9 = 1998$$
$$2222 \times 9 = 19998$$

$$81 \div 9 = 9$$
$$891 \div 99 = 9$$
$$8991 \div 999 = 9$$
$$89991 \div 9999 = 9$$

$$199998 \div 2 = 99999$$
$$299997 \div 3 = 99999$$
$$399996 \div 4 = 99999$$
$$499995 \div 5 = 99999$$

$$1 \times 8 + 1 = 9$$
$$12 \times 8 + 2 = 98$$
$$123 \times 8 + 3 = 987$$
$$1234 \times 8 + 4 = 9876$$

💡 달력에서 ☐ 안의 수의 합을 곱셈식으로 바꾸어 구하기

수	목	금
3	4	5

+1 +1

3+4+5

Ⅰ만큼 주기

| 3 | 4 | 5 |

3+Ⅰ → | 4 | 4 | 4 | ← 5−Ⅰ

4×3=12

💡 달력에서 ☐ 안의 수의 합을 곱셈식으로 바꾸어 구하기

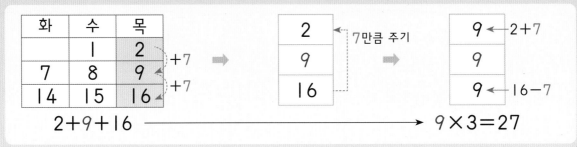

화	수	목
	Ⅰ	2
7	8	9
14	15	16

+7
+7

| 2 |
| 9 |
| 16 |

7만큼 주기

9	← 2+7
9	
9	← 16−7

2+9+16

9×3=27

응용 ❶ ☐ 안에 알맞은 수를 써넣어 주어진 수들의 합을 곱셈식으로 바꾸어 구하시오.

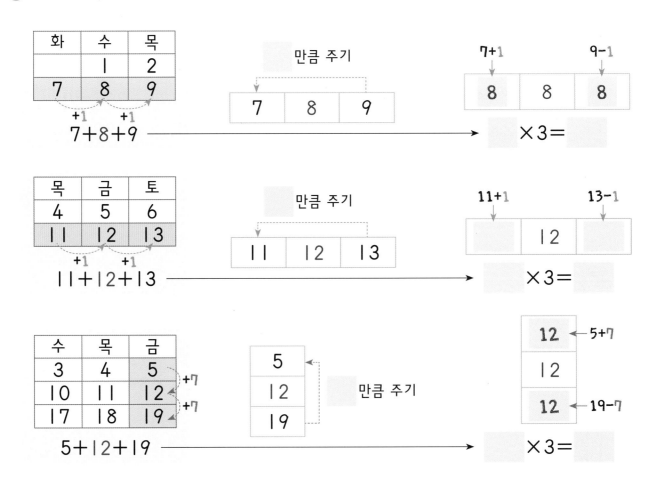

화	수	목
	Ⅰ	2
7	8	9

+1 +1

7+8+9

☐만큼 주기

| 7 | 8 | 9 |

7+1 ↓   9−1 ↓
| 8 | 8 | 8 |

☐×3=

목	금	토
4	5	6
11	12	13

+1 +1

11+12+13

☐만큼 주기

| 11 | 12 | 13 |

11+1 ↓   13−1 ↓
| ☐ | 12 | ☐ |

☐×3=

수	목	금
3	4	5
10	11	12
17	18	19

+7
+7

5+12+19

| 5 |
| 12 |
| 19 |

☐만큼 주기

12	← 5+7
12	
12	← 19−7

☐×3=

응용 2 달력에서 색칠된 수들의 합을 구하는 계산식입니다. ☐ 안에 알맞은 수를 써넣으시오.

5+6+7 → ☐ ×3= ☐

3+10+17 → ☐ × 3 = ☐

☐ × ☐ = ☐

☐ × ☐ = ☐

☐ × ☐ = ☐

☐ × ☐ = ☐

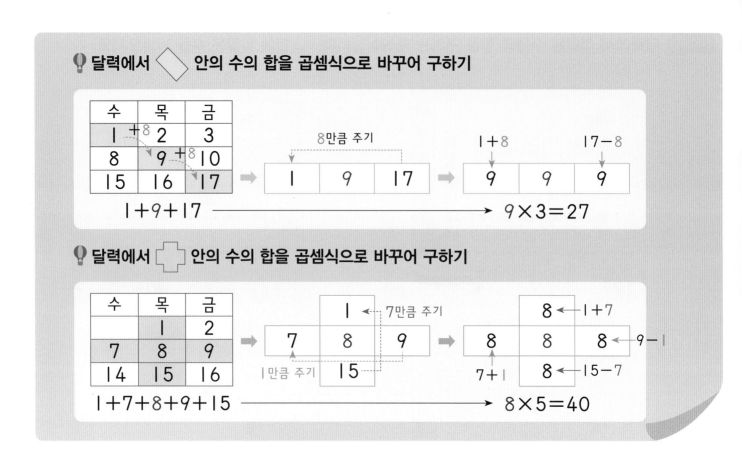

♀ 달력에서 ◇ 안의 수의 합을 곱셈식으로 바꾸어 구하기

수	목	금
1 +8	2	3
8	9 +8	10
15	16	17

8만큼 주기

1	9	17

1+8   17−8

9	9	9

1+9+17 ⟶ 9×3=27

♀ 달력에서 ✛ 안의 수의 합을 곱셈식으로 바꾸어 구하기

수	목	금
	1	2
7	8	9
14	15	16

	1		7만큼 주기
7	8	9
1만큼 주기	15	

1+7+8+9+15 ⟶ 8×5=40

	8 ←1+7	
8	8	8 ←9−1
7+1	8 ←15−7	

용용③ ☐ 안에 알맞은 수를 써넣어 주어진 수들의 합을 곱셈식으로 바꾸어 구하시오.

목	금	토
2 +8	3	4
9	10 +8	11
16	17	18

☐ 만큼 주기

2	10	18

2+8   18−8

10	10	10

2+10+18 ⟶ ☐ ×3=

목	금	토
2	3 +6	4
9 +6	10	11
16	17	18

☐ 만큼 주기

4	10	16

4+6   16−6

10	10	10

4+10+16 ⟶ ☐ ×3=

목	금	토
3	4	5
10	11	12
17	18	19

	4 ← 만큼 주기	
10	11	12
☐ 만큼 주기	18	

10+1

	11 ←4+7	
11	11	11 ←12−1
	11 ←18−7	

4+10+11+12+18 ⟶ ☐ ×5=

응용 **4** 달력에서 색칠된 수들의 합을 구하는 계산식입니다. ▨ 안에 알맞은 수를 써넣으시오.

5+13+21 → ▢ ×3= ▢

9+15+21 → ▢ × ▢ = ▢

▢ × ▢ = ▢

┌ ▢ × ▢ = ▢
│
10+16+17+18+24

▢ × ▢ = ▢

[01~02] 수 배열의 규칙에 따라 █ 안에 알맞은 수를 써넣으시오.

01

360	370	380	390	400	410

규칙

360부터 오른쪽으로 █ 씩 커짐

02

5316
5216
5116
5016
4916
4816

규칙

5316부터 아래쪽으로 █ 씩 작아짐

03 수 배열표의 규칙에 따라 빈칸에 알맞은 수를 써넣으시오.

7298	7299	7300	7301	7302
6298	6299	6300	6301	6302
5298	5299	5300	5301	
4298	4299		4301	4302

04 수 배열표의 규칙에 따라 █ 안에 알맞은 수를 써넣으시오.

규칙

오른쪽으로 █ 씩 커지고, 아래쪽으로 █ 씩 작아짐

+ █

2701	2801	2901	3001	3101
	2800	2900	3000	3100
				3099
				3098

− █

05 규칙적인 수의 배열에서 빈칸에 알맞은 수를 써넣으시오.

7894	6894	5894		3894	
	6904	5904	4904	3904	

[06~08] 도형의 배열을 보고 물음에 답하시오.

06 규칙을 찾아 ⬜ 안에 알맞은 수를 써넣으시오.

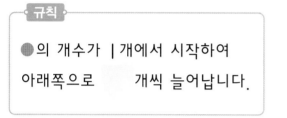

> **규칙**
>
> ●의 개수가 Ⅰ개에서 시작하여
> 아래쪽으로 ⬜ 개씩 늘어납니다.

07 규칙에 따라 다섯째에 알맞은 도형을 그려 보시오.

08 규칙에 따라 일곱째에 놓일 도형의 개수를 구하시오.

( )개

09 규칙에 따라 다섯째에 놓일 도형의 개수를 구하시오.

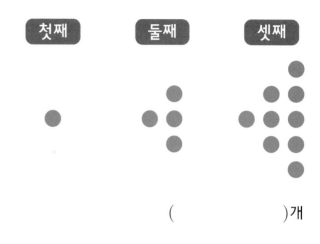

( )개

10 규칙에 따라 다섯째에 놓일 검은색 바둑돌의 개수를 구하시오.

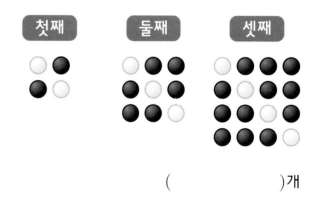

( )개

11 규칙을 찾아 표를 완성하시오.

규칙	△	■	△	△	■	△
모양						
색깔						

14 규칙을 찾아 마지막 그림을 완성하시오.

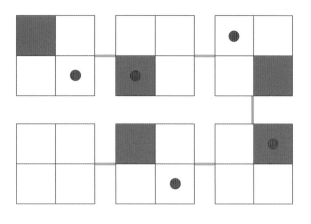

[12~13] 규칙을 찾아 ▨ 안에 들어갈 그림으로 알맞은 것에 ○표 하시오.

12

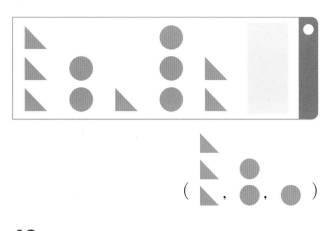

(◺ , ● , ●)

13

(▶ , ▼ , ◀)

15 규칙을 찾아 빈 곳에 알맞은 그림을 찾아 ○표 하시오.

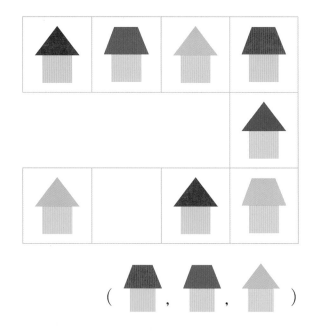

26

16

$319+201=520$

$329+211=540$

$339+221=560$

$349+231=580$

17

$365-163=202$

$465-263=202$

$565-363=202$

$665-463=202$

18

$67+44=111$

$667+444=1111$

$6667+4444=11111$

19

$45\times20=900$

$55\times20=1100$

$65\times20=1300$

$75\times20=1500$

20

$36\div9=4$

$396\div9=44$

$3996\div9=444$

$39996\div9=4444$

[1~2] 수 배열표를 보고 물음에 답하시오.

2101	2111	2121	2131	2141
3101	3111	3121	3131	3141
	4111	4121		4141
5101			5131	

1 수 배열의 규칙에 따라 빈칸에 알맞은 수를 써넣으시오.

2 수 배열의 규칙을 설명한 것 중 틀린 것을 찾아 기호를 쓰시오.

> ㉠ → 방향의 수는 10씩 커집니다.
> ㉡ ↓ 방향의 수는 100씩 커집니다.
> ㉢ ╱ 방향의 수는 990씩 커집니다.

( )

3 수 배열의 규칙에 따라 빈칸에 알맞은 수를 써넣으시오.

341	451	561		781	

[4~5] 도형의 배열을 보고 물음에 답하시오.

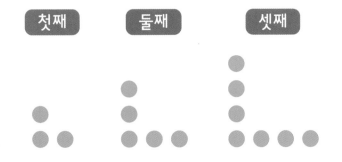

첫째 둘째 셋째

4 도형의 배열에서 규칙을 찾아 쓰시오.

규칙 _____

_____

5 규칙에 따라 넷째에 알맞은 도형을 그려 보시오.

넷째

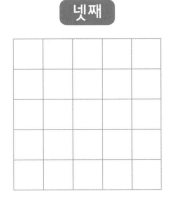

6 주어진 곱셈식의 규칙을 이용하여 나눗셈식을 쓰시오.

곱셈식	나눗셈식
50×11=550	
60×11=660	
70×11=770	
80×11=880	

[7~8] 수 배열표를 보고 물음에 답하시오.

2	4	6	8	10
17	19	21	23	25
32	34		38	40
47	49	51	53	
62		66	68	70

7 규칙에 따라 빈칸에 알맞은 수를 써넣으시오.

8 다음은 색칠된 칸에서 찾은 규칙입니다. 안에 알맞은 수를 써넣으시오.

> 색칠된 칸의 수는 17부터 시작하여
> ↘ 방향으로 　 씩 커집니다.

[9~10] 달력의 □ 안에 있는 수에서 찾은 계산식을 보고 물음에 답하시오.

9 안에 알맞은 식을 써넣으시오.

$$7+15=8+14$$
$$8+16=9+15$$
$$9+17=10+16$$

10 안에 알맞은 수를 써넣으시오.

$$7+8+9=8\times$$

$$10+11+12=11\times$$

$$14+15+16=15\times$$

$$17+18+19=\qquad\times$$

첫째　둘째　셋째　넷째

11 도형의 배열에서 규칙을 찾아 쓰시오.

규칙 _____

_____

_____

12 다섯째에 알맞은 모양에서 ●의 개수는 모두 몇 개입니까?

(　　　　　)개

13 표 안의 수를 이용하여 곱셈표를 완성 하시오.

×	2	4		8
200	400	800	1200	
300	600	1200	1800	2400
400		1600	2400	3200
	1000	2000	3000	

14 수의 배열에서 찾은 규칙적인 계산식을 보고 █ 안에 알맞은 식을 써넣으시오.

210	220	230	240	250
310	320	330	340	350
410	420	430	440	450
510	520	530	540	550

210＋320＋430＝230＋320＋410

220＋330＋440＝240＋330＋420

230＋340＋450＝250＋340＋430

15 규칙을 찾아 마지막 그림을 그려 보시오.

16 규칙적인 수의 배열에서 ●에 알맞은 수를 구하시오.

2592	●	72	12	2

(　　　　　)

17 계산식의 규칙에 따라 ▨ 안에 알맞은 식을 써넣으시오.

$$11 \times 11 = 121$$
$$11 \times 111 = 1221$$
$$11 \times 1111 = 12221$$
$$11 \times 11111 = 122221$$

18 규칙에 따라 다섯째에 놓일 흰색 바둑돌과 검은색 바둑돌은 각각 몇 개입니까?

첫째	둘째	셋째

흰색 바둑돌 (   )개
검은색 바둑돌 (   )개

19 엘리베이터 버튼의 수 배열에서 규칙적인 계산식을 찾아 쓰시오.

⑮ ⑯ ⑰ ⑱ ⑲ ⑳ ㉑ ㉒
⑦ ⑧ ⑨ ⑩ ⑪ ⑫ ⑬ ⑭
B2 B1 ① ② ③ ④ ⑤ ⑥

_____

_____

20 규칙적인 계산식을 보고 계산 결과가 702가 되는 순서는 몇째인지 풀이 과정을 쓰고 답을 구하시오.

순서	계산식
첫째	$9 \times 12 = 108$
둘째	$9 \times 23 = 207$
셋째	$9 \times 34 = 306$
넷째	$9 \times 45 = 405$

풀이 _____

_____

_____

답 _____

memo

단원별 산력 수학

단계

4-1

초등 수학
팩토

정답

매스티안

01 다섯 자리 수

- 1000이 10개인 수

1000	1000	1000	1000	1000
1000	1000	1000	1000	1000

  쓰기 10000 또는 1만
  읽기 만 또는 일만

- 10000이 2개, 1000이 5개, 100이 1개, 10이 4개, 1이 3개인 수

  쓰기 25143
  읽기 이만 오천백사십삼 ← 일의 자리부터 네 자리씩 끊어서 띄어 읽음

1 안에 알맞은 수를 써넣으시오.

1000이 10개인 수
➡ **10000**

9999보다 1 큰 수
➡ **10000**

9990보다 10 큰 수
➡ **10000**

9900보다 100 큰 수
➡ **10000**

9000보다 1000 큰 수
➡ **10000**

10000
➡ 1000이 **10** 개인 수

10000
➡ 9999보다 **1** 큰 수

10000
➡ 9990보다 **10** 큰 수

10000
➡ 9900보다 **100** 큰 수

10000
➡ 9000보다 **1000** 큰 수

2 빈 곳에 알맞게 써넣어 수를 읽어 보시오.

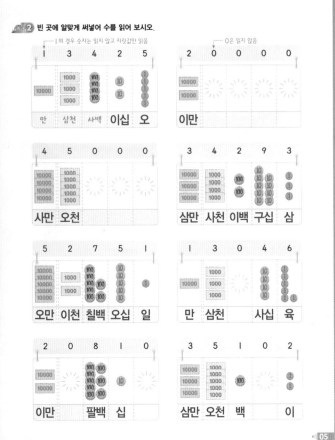

3 빈 곳에 알맞은 수를 써넣으시오.

4 수를 읽거나 수를 써넣으시오.

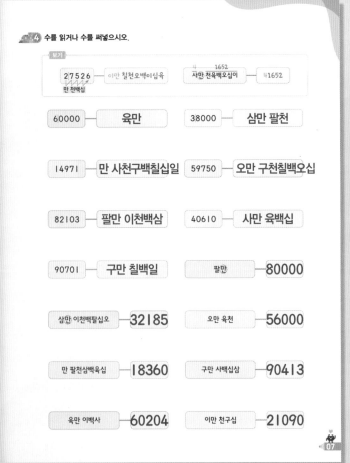

60000 — 육만

38000 — 삼만 팔천

14971 — 만 사천구백칠십일

59750 — 오만 구천칠백오십

82103 — 팔만 이천백삼

40610 — 사만 육백십

90701 — 구만 칠백일

팔만 — 80000

삼만 이천백팔십오 — 32185

오만 육천 — 56000

만 팔천삼백육십 — 18360

구만 사백십삼 — 90413

육만 이백사 — 60204

이만 천구십 — 21090

02 십만, 백만, 천만

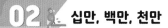

정답 03쪽

- 10000이 10개인 수 ➡ 쓰기 100000 또는 10만 읽기 십만
- 10000이 100개인 수 ➡ 쓰기 1000000 또는 100만 읽기 백만
- 10000이 1000개인 수 ➡ 쓰기 10000000 또는 1000만 읽기 천만

1 안에 알맞게 써넣으시오.

10000이 10개인 수

쓰기 100000 또는 10만

읽기 십만

10000이 91개인 수

쓰기 910000 또는 91만

읽기 구십일만

10000이 100개인 수

쓰기 1000000또는 100만

읽기 백만

10000이 508개인 수

쓰기 5080000또는 508만

읽기 오백팔만

10000이 1000개인 수

쓰기 10000000또는 1000만

읽기 천만

10000이 4016개인 수

쓰기 40160000또는 4016만

읽기 사천십육만

08

2 수를 읽어 보시오.

보기

→ 왼쪽부터 차례로 읽음

⑤4⑥3⑦1⓪9 ➡ 오천사백육십삼만 칠천백구
천 백 십　천 백 십
　　　　만

④5213015 ➡ 사천오백이십일만 삼천십오
천 백 십 천 백 십
　　　만

159000 ➡ 십오만 구천
십　천 백 십
　　만

8051973 ➡ 팔백오만 천구백칠십삼
백 십　천 백 십
　　만

5430246 ➡ 오백사십삼만 이백사십육

24009600 ➡ 이천사백만 구천육백

10098203 ➡ 천구만 팔천이백삼

3200457 ➡ 삼백이십만 사백오십칠

91080305 ➡ 구천백팔만 삼백오

09

3 수를 써 보시오.

보기

　　2059　　1671
이천오십구만 천육백칠십일 ➡ 2 0 5 9 1 6 7 1
　　　　　　　　　　　　　　　　　　만
└ 있지 않은 백만 자리 숫자는 0으로 나타냄

7201　5683
칠천이백일만 오천육백팔십삼 ➡ 7 2 0 1 5 6 8 3
　　　　　　　　　　　　　　　万

팔십삼만 천사백십오 ➡ 　 8 3 1 4 1 5
　　　　　　　　　　　　万

삼십구만 이천사 ➡ 　 3 9 2 0 0 4
　　　　　　　　　万

사백만 삼백구십칠 ➡ 4 0 0 0 3 9 7
　　　　　　　　万

오천육백십구만 이천백팔십팔 ➡ 5 6 1 9 2 1 8 8

천칠백육십이만 구천오백 ➡ 1 7 6 2 9 5 0 0

육천오만 칠천이십사 ➡ 6 0 0 5 7 0 2 4

천육십만 팔천삼십 ➡ 1 0 6 0 8 0 3 0

10

4 안에 알맞은 수를 써넣으시오.

보기

14587230 십만의 자리 숫자는 5 이고, 500000 을 나타냄
천 백 십　천 백 십
　　　　만

93501876 백만의 자리 숫자는 3 이고, 3000000 을 나타냄
천 백 십　천 백 십
　　　　만

46921058 천만의 자리 숫자는 4 이고, 40000000을 나타냄
천 백 십　천 백 십
　　　　만

207956 십만의 자리 숫자는 2 이고, 200000 을 나타냄
십　천 백 십
　　만

5130692 만의 자리 숫자는 3 이고, 30000 을 나타냄

85476301 백만의 자리 숫자는 5 이고, 5000000 을 나타냄

69271584 천만의 자리 숫자는 6 이고, 60000000을 나타냄

28016793 백만의 자리 숫자는 8 이고, 8000000 을 나타냄

74918506 십만의 자리 숫자는 9 이고, 900000 을 나타냄

11

03 억과 조

억 알아보기

- 1000만이 10개인 수 ➡ 쓰기 100000000 또는 1억 (0이 8개)
  ➡ 읽기 억 또는 일억

1만
9999보다 1 큰 수
9990보다 10 큰 수
9900보다 100 큰 수
9000보다 1000 큰 수

1억
9999만보다 1만 큰 수
9990만보다 10만 큰 수
9900만보다 100만 큰 수
9000만보다 1000만 큰 수

조 알아보기

- 1000억이 10개인 수 ➡ 쓰기 1000000000000 또는 1조 (0이 12개)
  ➡ 읽기 조 또는 일조

1억
9999만보다 1만 큰 수
9990만보다 10만 큰 수
9900만보다 100만 큰 수
9000만보다 1000만 큰 수

1조
9999억보다 1억 큰 수
9990억보다 10억 큰 수
9900억보다 100억 큰 수
9000억보다 1000억 큰 수

1 수를 읽어 보시오.

250007903010 ➡ 이천오백억 칠백구십만 삼천십

43000000000000 ➡ 사천삼백억

1638000000 ➡ 십육억 삼천팔백만

60050002400 ➡ 육백억 오백만 이천사백

184000800570 ➡ 천팔백사십억 팔십만 오백칠십

920370400058 ➡ 구천이백삼억 칠천사십만 오십팔

2 수를 읽어 보시오.

1700023000806500 ➡ 천칠백조 이백삼십억 팔십만 육천오백

5940000000000 ➡ 오천구백사십조

729200000000000 ➡ 칠십이조 구천이백억

201006005400000 ➡ 이백일조 육십억 오백사십만

6000080000207300 ➡ 육천조 팔백억 이십만 칠천삼백

870160005090080 ➡ 팔백칠십조 천육백억 오백구만 팔십

3 수를 써 보시오.

보기
2830 5906 700 4000
이천팔백삼십조 오천구백육억 칠백만 사천
➡ 2830590607004000

153 2900
백오십삼억 이천구백만
➡ 15329000000

칠천이백조 팔억 천오십만 육천삼
➡ 7200000081050 6003

삼천이백사십일억 팔백오십삼
➡ 324100000853

천이백사십조 칠십구억 오천만 이십구
➡ 1240007950000029

오백이십팔조 구백육억 칠천이만
➡ 528090670020000

천육백오십조 구백십삼만 이천팔백사십일
➡ 1650000009132841

4 안에 알맞은 수를 써넣으시오.

보기
1458720009430286 ➡ 백억의 자리 숫자는 2 이고, 20000000000 을 나타냄

27009156800031450 ➡ 천억의 자리 숫자는 9 이고, 900000000000 을/를 나타냄

51380149900726034 ➡ 십조의 자리 숫자는 3 이고, 30000000000000 을/를 나타냄

940186100753 1968 ➡ 십억의 자리 숫자는 1 이고, 1000000000 을/를 나타냄

70493172580031695 ➡ 천조의 자리 숫자는 7 이고, 7000000000000000 을/를 나타냄

3625140890712409 ➡ 억의 자리 숫자는 8 이고, 800000000 을/를 나타냄

61358402973111670 ➡ 조의 자리 숫자는 5 이고, 5000000000000 을/를 나타냄

4680179320859481 ➡ 백조의 자리 숫자는 6 이고, 600000000000000 을/를 나타냄

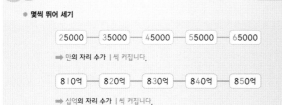

04 뛰어 세기

정답 05쪽

● 몇씩 뛰어 세기

25000 — 35000 — 45000 — 55000 — 65000

➡ 만의 자리 수가 l씩 커집니다.

810억 — 820억 — 830억 — 840억 — 850억

➡ 십억의 자리 수가 l씩 커집니다.

1 주어진 수만큼씩 수를 뛰어 세어 보시오.

l만　l만　l만　l만
58000 — 68000 — 78000 — **88000** — **98000**

➡ 만의 자리 수가 l씩 커집니다.

100만　100만　100만　100만
4012만 — 4112만 — 4212만 — **4312만** — **4412만**

➡ 백만의 자리 수가 l씩 커집니다.

1000억　1000억　1000억　1000억
2815억 — 3815억 — **4815억** — **5815억** — **6815억**

➡ 천억의 자리 수가 l씩 커집니다.

10조　10조　10조　10조
6978조 — **6988조** — 6998조 — **7008조** — **7018조**

➡ 십조의 자리 수가 l씩 커집니다.

2 뛰어 센 규칙을 찾아 수를 뛰어 세어 보시오.

6l만 — 62만 — 63만 — 64만 — **65만** — **66만**

만의 자리 수가 l 커졌습니다.

4l0억 — 430억 — 450억 — **470억** — **490억** — 5l0억

십억의 자리 수가 2 커졌습니다.

739조 — 738조 — 737조 — **736조** — **735조** — **734조**

조의 자리 수가 l 작아졌습니다.

253l억 — 353l억 — **453l억** — 553l억 — **653l억** — 753l억

l065만 — l265만 — l465만 — **l665만** — l865만 — **2065만**

8470조 — 8480조 — 8490조 — **8500조** — **85l0조** — 8520조

35조 — 40조 — 45조 — **50조** — **55조** — **60조**

9860만 — 8860만 — 7860만 — **6860만** — **5860만** — 4860만

534억 — 524억 — **5l4억** — **504억** — 494억 — **484억**

● 몇 배씩 뛰어 세기

• 어떤 수를 l0배 하면 어떤 수 뒤에 0이 한 개 붙습니다.

l0배　l0배　l0배　l0배
5만 — 50만 — 500만 — 5000만 — 5억
　　　　　　　　　　　　　　　　　50000만
　　　　　　　　　　　　　　　　　억

• 어떤 수를 l00배 하면 어떤 수 뒤에 0이 두 개 붙습니다.

l00배　l00배　l00배　l00배
8만 — 800만 — 8억 — 800억 — 8조
　　　　80000만　　　　80000억
　　　　억　　　　　　　조

3 주어진 몇 배만큼씩 수를 뛰어 세어 보시오.

l0배　l0배　l0배　l0배
700만 — 7000만 — 7억 — **70억** — **700억**
　　　　　　　　70000만
　　　　　　　　억

l0배　l0배　l0배　l0배
90억 — 900억 — **9000억** — **9조** — **90조**

l00배　l00배　l00배　l00배
2000 — 20만 — 2000만 — **20억** — **2000억**
　　　　200000
　　　　만

l00배　l00배　l00배　l00배
40만 — 4000만 — **40억** — 4000억 — **40조**

4 안에 알맞은 수를 써넣으시오.

4000의 l0배
➡ **4만**
　　40000

4000의 l00배
➡ **40만**
　　400000

4000의 l000배
➡ **400만**
　　4000000

l만의 l0배
➡ **l0만**
　　100000

l만의 l00배
➡ **l00만**
　　1000000

l만의 l000배
➡ **l000만**
　　10000000

l0억의 l00배
➡ **l000억**

l00억의 l00배
➡ **l조**

l000억의 l00배
➡ **l0조**

l만의 l000배
➡ **l000만**

l0만의 l000배
➡ **l억**

l00만의 l000배
➡ **l0억**

300의 l000배
➡ **30만**

30000의 l0배
➡ **30만**

3000의 l00배
➡ **30만**

5조의 l00배
➡ **500조**

500억의 l000배
➡ **50조**

5000만의 l0배
➡ **5억**

05 수의 크기 비교

초등 4-1
1 큰 수

정답 06쪽

자리 수가 다른 경우

175350000 > 84210000
9자리 수　　8자리 수

➡ 자리 수가 많은 수가 더 큰 수

자리 수가 같은 경우

8자리 수　　8자리 수
53740000 > 53250000
　　7>2

➡ 가장 높은 자리의 수부터 차례로 비교하여 수가 큰 쪽이 더 큰 수

---

1 두 수의 크기를 비교하여 안에 > 또는 <를 알맞게 써넣으시오.

28652 < 1752658
5자리 수　　7자리 수
　　5<7

4819238 > 481746

63473809 > 8431742

82946761 < 401258340

1032500460 > 975648031

3200040190500 > 709420586001

3만 8천 < 12만
3<12

401만 3천 > 98만 746

9억 6000만 < 11억 30만

30조 340억 > 450억 90만

---

2 두 수의 크기를 비교하여 안에 > 또는 <를 알맞게 써넣으시오.

5=5
5자리 수　　5자리 수
28974 < 29652
8<9

6자리 수　　6자리 수
497256 > 496173

1523489 > 1522987

7501789316 > 7501699734

800195236 < 800196104

30827 > 30824

61407532 > 61407523

562894301 > 562894130

15만 2560 > 15만 1980
2>1

4860만 < 4890만

2억 589만 < 2억 598만

126억 51만 > 126억 50만

3502조 912억 < 3512조 908억

85억 2047만 > 85억 2098

5조 9871만 < 5조 12억

6290억 5247만 > 6290억 5874

---

3 두 수의 크기를 비교하여 안에 > 또는 <를 알맞게 써넣으시오.

5자리 수　　6자리 수
28652 < 138420

6자리 수　　6자리 수
369501 > 369497

1345210 < 5724923

497259 < 497273

10045623 > 1004786

504827421 > 504827420

8543917502 < 85408003172

1532947 < 15326507

132만 5600 > 131만 5600
132>131

230조 35억 > 240억 350만

32억 2350만 < 320억 64만

812억 1324만 < 813억 500만

9300억 271만 < 104조

27조 3400만 > 27조 920만 3721

34조 6350만 < 34조 1247억

2조 246억 725 < 2조 246억 720만

---

4 태양과 행성 간의 거리를 비교하여 안에 알맞은 행성의 이름을 써넣으시오.

태양과 행성 간의 거리	
행성	태양과의 거리(km)
화성	2억 2794만
수성	579 10000만
목성	7억 7834만
금성	108210000
토성	1426670000
천왕성	28억 7066만
지구	1억 4960만
해왕성	4498400000

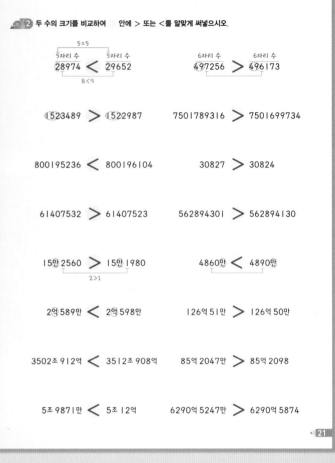

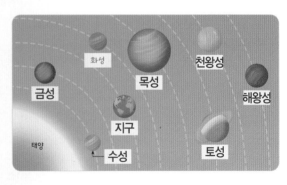

20　21　22　23

도전! 응용문제

정답 07쪽

💡 수 카드로 수 만들기

가장 큰 수　7>5>4>2>1

7	5	4	2	1
만	천	백	십	일

큰 수부터 높은 자리에 차례로 씀

가장 작은 수　1<2<4<5<7

1	2	4	5	7
만	천	백	십	일

작은 수부터 높은 자리에 차례로 씀

응용 ① 5장의 수 카드를 모두 사용하여 **가장 큰** 다섯 자리 수와 **가장 작은** 다섯 자리 수를 각각 만드시오.

3 7 2 4 6

가장 큰 다섯 자리 수
➡ 7 6 4 3 2 　큰 수부터 7>6>4>3>2
가장 작은 다섯 자리 수
➡ 2 3 4 6 7 　작은 수부터 2<3<4<6<7

9 2 8 5 1

가장 큰 다섯 자리 수
➡ 9 8 5 2 1
가장 작은 다섯 자리 수
➡ 1 2 5 8 9

6 2 5 3 8

가장 큰 다섯 자리 수
➡ 8 6 5 3 2
가장 작은 다섯 자리 수
➡ 2 3 5 6 8

7 1 9 0 5

가장 큰 다섯 자리 수
➡ 9 7 5 1 0
가장 작은 다섯 자리 수
➡ 1 0 5 7 9

응용 ② 10장의 수 카드를 모두 사용하여 **가장 큰** 10자리 수와 **가장 작은** 10자리 수를 각각 만드시오.

9 2 4 / 9 8 3 1 / 6 7 5

큰 수부터
가장 큰 10자리 수　9>9>8>7>6>5>4>3>2>1
➡ 9 9 8 7 6 5 4 3 2 1
작은 수부터
가장 작은 10자리 수　1<2<3<4<5<6<7<8<9<9
➡ 1 2 3 4 5 6 7 8 9 9

1 5 6 / 3 8 9 1 / 7 2 4

가장 큰 10자리 수
➡ 9 8 7 6 5 4 3 2 1 1
가장 작은 10자리 수
➡ 1 1 2 3 4 5 6 7 8 9

2 6 4 / 3 8 5 1 / 9 2 6

가장 큰 10자리 수
➡ 9 8 6 6 5 4 3 2 2 1
가장 작은 10자리 수
➡ 1 2 2 3 4 5 6 6 8 9

3 8 2 / 1 0 5 7 / 4 9 6

가장 큰 10자리 수
➡ 9 8 7 6 5 4 3 2 1 0
가장 작은 10자리 수
➡ 1 0 2 3 4 5 6 7 8 9

💡 금액 알아보기

저금통에 10000원짜리 지폐가 7장, 1000원짜리 지폐가 21장, 100원짜리 동전이 9개 들어 있습니다. 저금통에 들어 있는 돈은 모두 얼마입니까?

① 각각의 돈이 얼마인지 알아보기

7	0	0	0	0	←10000원짜리 7장
2	1	0	0	0	←1000원짜리 21장
+		9	0	0	←100원짜리 9개

② 합으로 구하기

7 0 0 0 0
2 1 0 0 0
+ 　 9 0 0
9 1 9 0 0 (원)

응용 ③ 다음은 모두 얼마입니까?

10000원짜리 지폐 6장
1000원짜리 지폐 15장
100원짜리 동전 4개
➡
6 0 0 0 0 ←10000원짜리
1 5 0 0 0 ←1000원짜리
+ 　 4 0 0 ←100원짜리
7 5 4 0 0 (원)

10000원짜리 지폐 8장
1000원짜리 지폐 31장
100원짜리 동전 7개
➡
8 0 0 0 0
3 1 0 0 0
+ 　 7 0 0
1 1 1 7 0 0 (원)

10000원짜리 지폐 9장
1000원짜리 지폐 25장
100원짜리 동전 62개
➡
9 0 0 0 0
2 5 0 0 0
+ 　 6 2 0 0
1 2 1 2 0 0 (원)

응용 ④ 다음은 모두 얼마입니까?

10만 원짜리 수표 8장
1만 원짜리 지폐 15장
1000원짜리 지폐 9장
100원짜리 동전 3개
➡
8 0 0 0 0 0 ←10만 원짜리
1 5 0 0 0 0 ←1만 원짜리
　 9 0 0 0 ←1000원짜리
+ 　 3 0 0 ←100원짜리
9 5 9 3 0 0 (원)

10만 원짜리 수표 9장
1만 원짜리 지폐 27장
1000원짜리 지폐 5장
100원짜리 동전 34개
➡
9 0 0 0 0 0
2 7 0 0 0 0
　 5 0 0 0
+ 　 3 4 0 0
1 1 7 8 4 0 0 (원)

100만 원짜리 수표 5장
10만 원짜리 수표 13장
1만 원짜리 지폐 7장
1000원짜리 지폐 50장
➡
5 0 0 0 0 0 0
1 3 0 0 0 0 0
　 7 0 0 0 0
+ 　 5 0 0 0 0
6 4 2 0 0 0 0 (원)

100만 원짜리 수표 6장
10만 원짜리 수표 3장
1만 원짜리 지폐 38장
1000원짜리 지폐 24장
➡
6 0 0 0 0 0 0
2 9 0 0 0 0 0
　 3 8 0 0 0 0
+ 　 2 4 0 0 0
9 3 0 4 0 0 0 (원)

01 맞으면 ○표, 틀리면 ✕표 하시오.

(1) 9990보다 10 큰 수는 10000
입니다. (○)

(2) 1000이 100개인 수는 10000
입니다. (✕)

02 빈 곳에 알맞게 써넣어 수를 읽어 보시오.

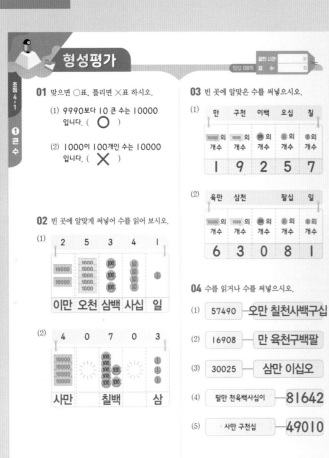

(1)
2	5	3	4	1

이만 오천 삼백 사십 일

(2)
4	0	7	0	3

사만 칠백 삼

03 빈 곳에 알맞은 수를 써넣으시오.

(1)
만	구천	이백	오십	칠
10000 의 개수	1000 의 개수	100 의 개수	10 의 개수	1 의 개수
1	9	2	5	7

(2)
육만	삼천		팔십	일
10000 의 개수	1000 의 개수	100 의 개수	10 의 개수	1 의 개수
6	3	0	8	1

04 수를 읽거나 수를 써넣으시오.

(1) 57490 — 오만 칠천사백구십

(2) 16908 — 만 육천구백팔

(3) 30025 — 삼만 이십오

(4) 팔만 천육백사십이 — 81642

(5) 사만 구천십 — 49010

05 설명하는 수를 쓰고, 읽어 보시오.

10000이 2174개인 수

쓰기 (21740000)
읽기 (이천백칠십사만)

06 수를 읽어 보시오.

(1) 160000

(십육만)

(2) 72091054

(칠천이백구만 천오십사)

07 수를 바르게 쓴 것을 찾아 기호를 쓰시오.

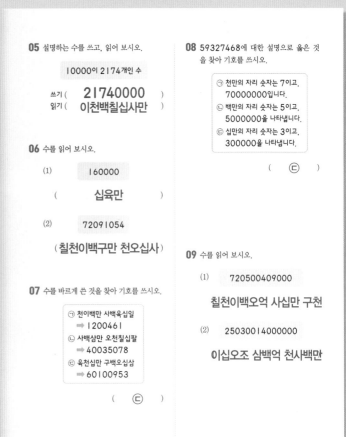

㉠ 천이백만 사백육십일
⇒ 1200461
㉡ 사백삼만 오천칠십팔
⇒ 40035078
㉢ 육천십만 구백오십삼
⇒ 60100953

(㉢)

08 59327468에 대한 설명으로 옳은 것을 찾아 기호를 쓰시오.

㉠ 천만의 자리 숫자는 7이고,
70000000입니다.
㉡ 백만의 자리 숫자는 5이고,
5000000을 나타냅니다.
㉢ 십만의 자리 숫자는 3이고,
300000을 나타냅니다.

(㉢)

09 수를 읽어 보시오.

(1) 720500409000

칠천이백오억 사십만 구천

(2) 25030014000000

이십오조 삼백억 천사백만

10 수를 써 보시오.

(1) 이백사십칠억 육백구십이만

(24706920000)

(2) 오십삼조 칠백만 이천일

53000000700201

11 안에 알맞은 수를 써넣으시오.

8021070450360900

억의 자리 숫자는 4 이고,
400000000 을/를 나타냅니다.

12 숫자 2가 나타내는 값이 더 큰 수를 찾아 기호를 쓰시오.

㉠ 2180090405763 → 2조
㉡ 15203968007400 → 2000억

(㉠)

13 10만씩 뛰어 세어 보시오.

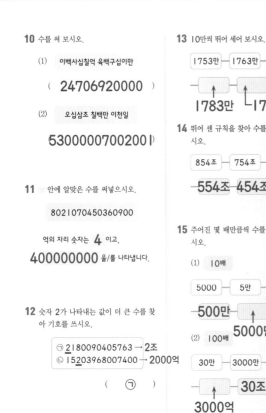

1753만 — 1763만 — 1773만 —
1783만 — 1793만 — 1803만

14 뛰어 센 규칙을 찾아 수를 뛰어 세어 보시오.

854조 — 754조 — 654조 —
554조 — 454조 — 354조

15 주어진 몇 배만큼씩 수를 뛰어 세어 보시오.

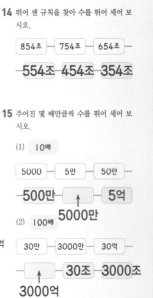

(1) 10배

5000 — 5만 — 50만 —
500만 — 5000만 — 5억

(2) 100배

30만 — 3000만 — 30억 —
3000억 — 30조 — 3000조

16 안에 알맞은 수를 써넣으시오.

10만의 1000배
⇒ 1억

1000만의 100배
⇒ 10억

100억의 10배
⇒ 1000억

17 두 수의 크기를 비교하여 안에 >
또는 <를 알맞게 써넣으시오.

(1) 96287 < 103526

(2) 8억 13만 > 8억 9700

18 ㉠과 ㉡의 크기를 비교하여 더 작은 수의
기호를 쓰시오.

㉠ 37651289400000
㉡ 37651298200000

(㉠)

19 두 수의 크기를 비교하여 더 큰 수에 색
칠하시오.

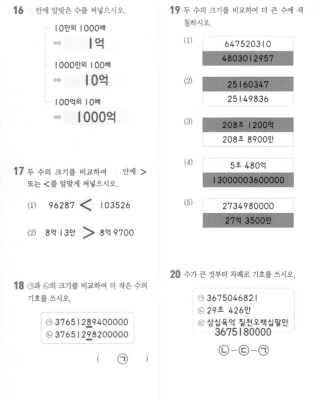

(1)
647520310
4803012957

(2)
25160347
25149836

(3)
208조 1200억
208조 8900만

(4)
5조 480억
13000003600000

(5)
2734980000
27억 3500만

20 수가 큰 것부터 차례로 기호를 쓰시오.

㉠ 3675046821
㉡ 29조 426억
㉢ 삼십육억 칠천오백십팔만
3675180000

㉡ - ㉢ - ㉠

단원 평가   1. 큰 수

1 다음 중 10000이 아닌 것은 어느 것입니까? (④)

① 1000이 10개인 수
② 9999보다 1 큰 수
③ 100의 100배인 수
④ 9800보다 20 큰 수
⑤ 1이 10000개인 수

2 다음 수를 쓰고 읽어 보시오.

10000이 5개인 수

쓰기 (50000)
읽기 (오만)

3 보기 와 같이 각 자리의 숫자가 나타내는 값의 합으로 나타내시오.

보기
35702=30000+5000+700+2

90184=90000+100+80+4

4 안에 알맞은 수를 써넣으시오.

(1) 10000이 3개
1000이 8개
100이 7개   이면 38721
10이 2개
1이 1개

(2)
10000이 9개
1000이 5개
95462는 100이 4개
10이 6개
1이 2개

5 수로 나타내어 보시오.

(1) 백칠억 삼십이만 육백팔십일
(10700320681)

(2) 사천팔십이조 천오백만
4082000015000000

6 뛰어 센 규칙을 찾아 수를 뛰어 세어 보시오.

7953만 → 7963만 → 7973만 → 7983만 → 7993만 → 8003만

7 두 수의 크기를 비교하여 안에 > 또는 <를 알맞게 써넣으시오.

(1) 9758306 < 12047253
7자리   8자리

(2) 1032억 > 9785만
12자리   8자리

8 수를 보고 안에 알맞은 수를 써넣으시오.

54217938

십만의 자리 숫자는 2 이고, 200000을 나타냅니다.

9 안에 알맞은 수를 써넣으시오.

(1) 1억은 1000만이 10 개인 수입니다.
(2) 1억은 9900만보다 100만 큰 수입니다.
(3) 1억은 100만의 100 배인 수입니다.
(4) 1억은 9999만보다 1만 큰 수입니다.
(5) 1억은 9000만보다 1000만 큰 수입니다.

10 수를 보고 안에 알맞은 수를 써넣으시오.

28107351406

(1) 억이 281 개, 만이 735 개, 일이 1406 개인 수입니다.
(2) 십억의 자리 숫자는 8 이고, 8000000000 을 나타냅니다.

11 수를 바르게 읽은 것을 찾아 기호를 쓰시오.

㉠ 200000000000 ⇒ 이조
㉡ 7000000000000 ⇒ 칠십조
㉢ 490500000000000 ⇒ 사천구백오조
㉣ 801000000000000 ⇒ 팔백일조

(㉣)

㉠ 이천억   ㉡ 칠조
㉢ 사백구십조 오천억

12 다음을 수로 나타내려면 0을 몇 개 써야 합니까?

(1) 백억 이천사만 육백구십오
(5)개

(2) 팔십조 천오백억 사십삼만 일
(8)개

13 다음 중 천만의 자리 숫자가 가장 큰 수는 어느 것입니까? (④)

① 57019386
② 1362457098
③ 48501967325
④ 80315742068250
⑤ 4268309785130074

14 10000이 8개, 1000이 4개, 100이 5개, 10이 0개, 1이 9개인 수는 얼마입니까?

(84509)

80000+4000+500+9=84509

15 빈 곳에 알맞은 수를 써넣으시오.

4000만 →(10배)→ 4억 →(100배)→ 400억

16 다음 중 숫자 5가 나타내는 값이 가장 큰 수를 찾아 기호를 쓰시오.

㉠ 569240000
㉡ 19540623
㉢ 901753004806

(㉠)

㉠ 5억 ㉡ 50만 ㉢ 5000만

17 5장의 수 카드를 모두 사용하여 만들 수 있는 가장 작은 수를 쓰시오.

8 0 3 7 1

(10378)

18 큰 수부터 차례로 기호를 쓰시오.

㉠ 십억 이천사백만 팔백십
㉡ 192501900
㉢ 십억 이천사백만 천이십

㉢-㉠-㉡

19 민주는 저금통에 10000원짜리 지폐 5장, 1000원짜리 지폐 17장, 100원짜리 동전 39개, 10원짜리 동전 5개를 모았습니다. 민주가 모은 돈은 모두 얼마인지 풀이 과정을 쓰고 답을 구하시오.

풀이 예 50000+17000+3900+50=70950(원)

답 70950원

20 다음 수에서 10억씩 커지게 3번 뛰어 세면 얼마가 되는지 풀이 과정을 쓰고 답을 구하시오.

2978억 50만

풀이 예 2978억 50만 → 2988억 50만 → 2998억 50만 → 3008억 50만

답 3008억 50만

01　각의 크기

초등 4-1

② 각도

정답 10쪽

● 각의 크기는 변의 길이와 관계없이 두 변이 벌어진 정도에 따라 비교합니다.

나의 각의 크기는 가의 각의 크기보다 큽니다.

1 두 각의 크기를 비교하여 더 큰 각을 찾아 기호를 쓰시오.

2 두 각 중 더 큰 각에 ○표 하시오.

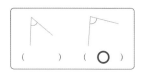

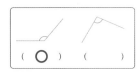

● 각도기로 각도를 재는 순서

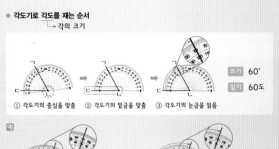

① 각도기의 중심을 맞춤　② 각도기의 밑금을 맞춤　③ 각도기의 눈금을 읽음

쓰기 60°
읽기 60도

예

쓰기 70°
읽기 70도

0°가 있는 안쪽 눈금을 읽음

쓰기 110°
읽기 110도

0°가 있는 바깥쪽 눈금을 읽음

3 각도를 구하시오.

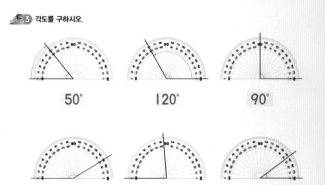

50°　　120°　　90°

150°　　85°　　35°

4 각도기를 이용하여 각도를 재어 보시오. 준비물 각도기

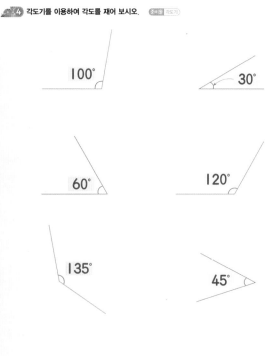

100°　　30°

60°　　120°

135°　　45°

90°　　150°

02 각 그리기

정답 11쪽

● 각도가 120°인 각 ㄱㄴㄷ 그리기

① 변 ㄴㄷ 그리기
② 변 ㄴㄷ과 각도기의 밑금 맞춤
③ 120°가 되는 눈금 위에 점 표시
④ 나머지 한 변 그리기

1 크기가 다음과 같은 각 ㄱㄴㄷ을 그릴 때 점 ㄷ을 찍어야 하는 곳에 ○표 하시오.

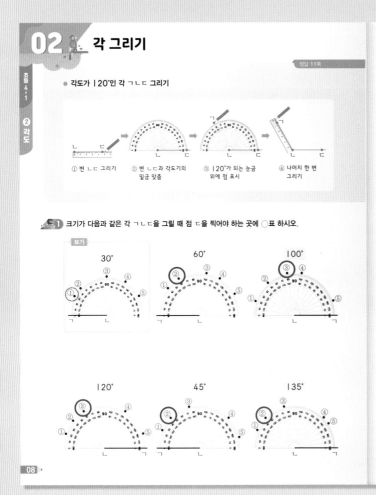

2 주어진 각도와 크기가 같은 각을 각도기 위에 그려 보시오.

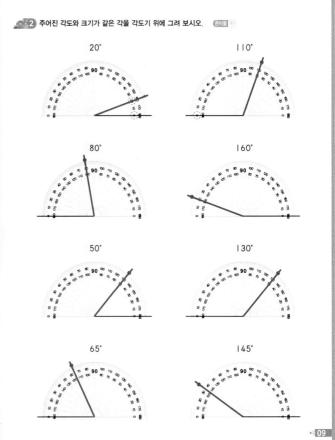

3 각도기와 자를 이용하여 주어진 각도와 크기와 같은 각이 되도록 짧은바늘을 그려 보시오.

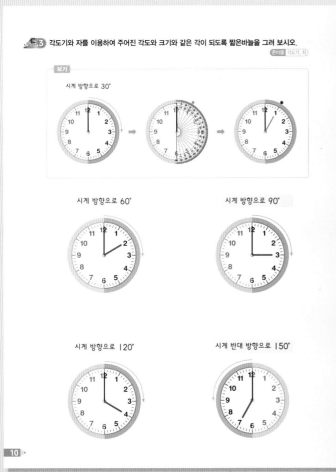

4 각도기와 자를 이용하여 주어진 각도와 크기가 같은 각을 그려 보시오.

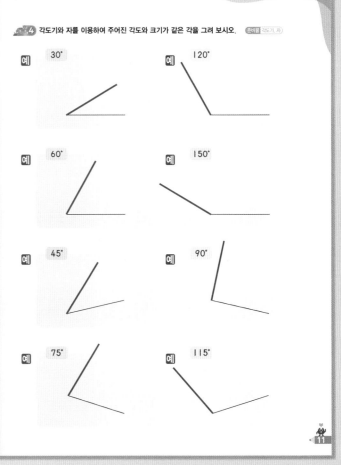

03 예각과 둔각, 각도 어림하기

정답 12쪽

● 각을 크기에 따라 분류하기

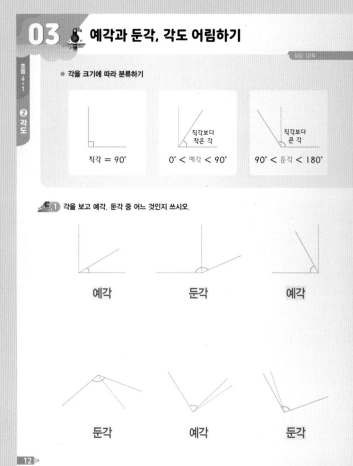

직각 = 90°

직각보다 작은 각
0° < 예각 < 90°

직각보다 큰 각
90° < 둔각 < 180°

1 각을 보고 예각, 둔각 중 어느 것인지 쓰시오.

예각　　　둔각　　　예각

둔각　　　예각　　　둔각

2 시계의 긴바늘과 짧은바늘이 이루는 작은 쪽의 각이 예각, 직각, 둔각 중 어느 것인지 쓰시오.

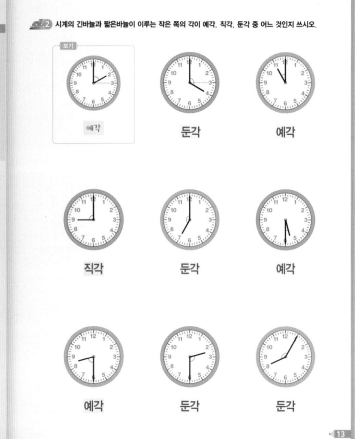

보기
예각

둔각　　　예각

직각　　　둔각　　　예각

예각　　　둔각　　　둔각

3 도형에서 예각과 둔각은 각각 몇 개인지 쓰시오.

보기

50° 예각
예각 70°　예각 60°
예각: 3 개
둔각: 0 개

30°
40° 110°
예각: 2 개
둔각: 1 개

60°
150°
70°　80°
예각: 3 개
둔각: 1 개

65° 115°
115° 65°
예각: 2 개
둔각: 2 개

50°
100°
90°　120°
예각: 1 개
둔각: 2 개

108°
108°　108°
108° 108°
예각: 0 개
둔각: 5 개

80°
150°
110°
120°　80°
예각: 2 개
둔각: 3 개

45°
145°
100°
130°　120°
예각: 1 개
둔각: 4 개

4 각도를 어림하고 각도기로 재어 확인해 보시오. 준비물 각도기

보기

90°의 절반이니 45° 쯤 되겠네.
→ 와! 어림하게 맞았다.

어림한 각도: 약 45°
잰 각도:

어림한 각도: 약 45°
잰 각도: 45°

예
어림한 각도: 약 30°
잰 각도: 30°

예
어림한 각도: 약 90°
잰 각도: 90°

예
어림한 각도: 약 150°
잰 각도: 150°

예
어림한 각도: 약 60°
잰 각도: 60°

예
어림한 각도: 약 120°
잰 각도: 120°

예
어림한 각도: 약 100°
잰 각도: 100°

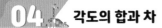

04 각도의 합과 차

● 각도의 합

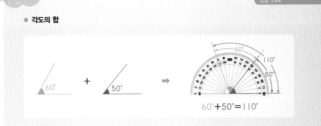

$$60° + 50° = 110°$$

1 두 각도의 합을 구하시오.

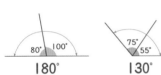

$70°$ ← 40°+30°　$120°$　$150°$

$90°$　$125°$

$180°$　$130°$　$70°$

2 두 각도의 합을 구하시오.

$20°+60°=80°$	$40°+10°=50°$
$110°+20°=130°$	$50°+80°=130°$
$55°+70°=125°$	$90°+45°=135°$
$30°+55°=85°$	$150°+25°=175°$
$70°+105°=175°$	$45°+120°=165°$
$35°+15°=50°$	$65°+65°=130°$
$125°+45°=170°$	$95°+65°=160°$
$105°+55°=160°$	$15°+125°=140°$

● 각도의 차

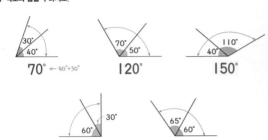

$$120° - 40° = 80°$$

3 두 각도의 차를 구하시오.

$50°$ ← 80°-30°　$50°$　$115°$

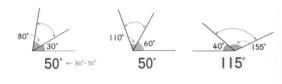

$60°$　$45°$

$80°$　$45°$　$65°$

4 두 각도의 차를 구하시오.

$50°-30°=20°$	$80°-10°=70°$
$70°-20°=50°$	$90°-60°=30°$
$120°-60°=60°$	$65°-50°=15°$
$100°-50°=50°$	$165°-30°=135°$
$75°-45°=30°$	$115°-25°=90°$
$175°-105°=70°$	$150°-120°=30°$
$95°-30°=65°$	$100°-85°=15°$
$60°-15°=45°$	$130°-75°=55°$

05 삼각형의 세 각의 크기의 합, 사각형의 네 각의 크기의 합

정답 14쪽

초등 4·1
② 각도

● 삼각형의 세 각의 크기의 합은 180°입니다.

㉠+㉡+㉢=180°

1 삼각형의 세 각의 크기의 합을 구하려고 합니다. 　안에 알맞은 각도를 써넣으시오.

60°+50°+70°= **180°**

100°
40° 40°

40°+40°+100°= **180°**

120°+20°+40°= **180°**

30°
45° 105°

45°+105°+30°= **180°**

30°+90°+60°= **180°**

35°
85° 60°

85°+60°+35°= **180°**

2 　안에 알맞은 각도를 써넣으시오.

보기
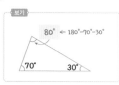
80° ← 180°-70°-30°
70°　30°

55°
180°-60°-65°
60° 65°

20°
30° 130°

75°
20° **85°**

120°
35° **25°**

55°
35°

30°
50° **100°**

110°
35° 35°

80°
25° **75°**

45°
55°
80°

● 사각형의 네 각의 크기의 합은 360°입니다.

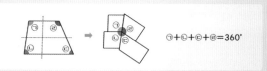

㉠+㉡+㉢+㉣=360°

3 사각형의 네 각의 크기의 합을 구하려고 합니다. 　안에 알맞은 각도를 써넣으시오.

60°
80°
110° 110°

60°+110°+110°+80°= **360°**

100° 120°
80° 60°

100°+80°+60°+120°= **360°**

120° 60°
60° 120°

120°+60°+120°+60°= **360°**

80°
140°
75° 65°

80°+75°+65°+140°= **360°**

80° 105°
110° 65°

80°+110°+65°+105°= **360°**

125°
55°

90°+90°+55°+125°= **360°**

4 　안에 알맞은 각도를 써넣으시오.

보기
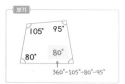
105° 95°
80° 80°
360°-105°-80°-95°

360°-60°-80°-100°
↓
120° 100°
60° 80°

85°
140°
75° 60°

80°
95°
85° 100°

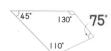
45° 130° **75°**
110°

50° 130°
50°
130°

80°
100°

70°
105°
80° 105°

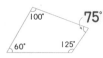
100° **75°**
60° 125°

95°
65°
145° 55°

도전! 응용문제

정답 15쪽

💡 직각 삼각자 2개를 이용하여 각도의 합 구하기

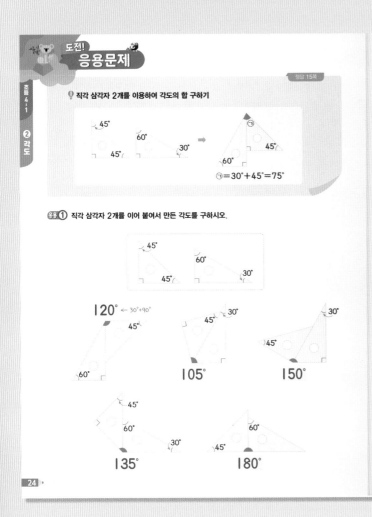

⇒ ㄱ=30°+45°=75°

응용 ① 직각 삼각자 2개를 이어 붙여서 만든 각도를 구하시오.

120° ← 30°+90°

105°

150°

135°

180°

응용 ② 직각 삼각자 2개를 겹쳐서 만든 각도를 구하시오.

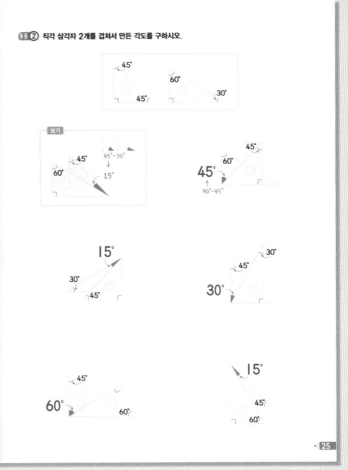

보기

15°

45° → 45°-30° → 15°

45° 90°-45°

15°

30°

60°

💡 도형에서 각의 크기 구하기

180°-40°=140°
180°-80°-60°

응용 ③ 안에 알맞은 각도를 써넣으시오.

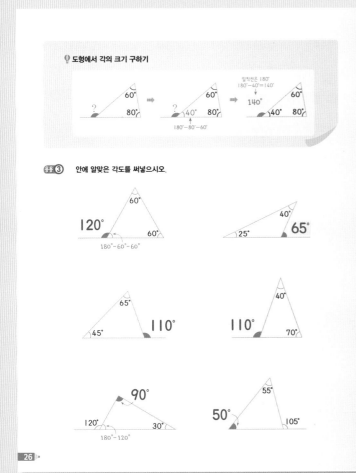

120°
180°-60°-60°

65°

110°

110°

90°

50°

응용 ④ 안에 알맞은 각도를 써넣으시오.

보기

일직선은 180°
180°-75°=105°

360°-135°-70°-80°

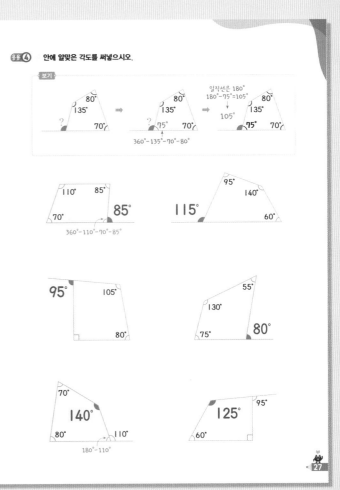

85°
360°-110°-70°-85°

115°

95°

55°

140°
180°-110°

125°

형성평가

초등 4·1
❷각도

01 두 각의 크기를 비교하여 더 큰 각을 찾아 기호를 쓰시오.

(나)

02 두 각 중 더 큰 각에 ◯표 하시오.

(◯)   ( )

03 각도를 구하시오.

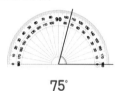

75°

04 각도기를 이용하여 각도를 재어 보시오.

(1)

50°

(2)

125°

05 크기가 다음과 같은 각 ㄱㄴㄷ을 그릴 때 점 ㄷ을 찍어야 하는 곳에 ◯표 하시오.

135°

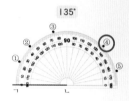

06 주어진 각도와 크기가 같은 각을 각도기 위에 그려 보시오.

(1) 70°

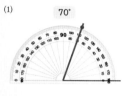

(2) 125°

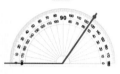

07 각도기와 자를 이용하여 주어진 각도와 크기와 같은 각이 되도록 짧은바늘을 그려 보시오.

시계 방향으로 150°

08 각도기와 자를 이용하여 주어진 각도와 크기와 같은 각을 그려 보시오.

55°

예

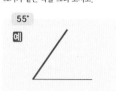

09 각을 보고 예각, 둔각 중 어느 것인지 쓰시오.

예각

10 시계의 긴바늘과 짧은바늘이 이루는 작은 쪽의 각이 예각, 직각, 둔각 중 어느 것인지 쓰시오.

둔각

---

11 도형에서 예각과 둔각은 각각 몇 개인지 쓰시오.

예각: **2** 개
둔각: **3** 개

12 각도를 어림하고 각도기로 재어 확인해 보시오.

예

어림한 각도: 약 135°
잰 각도: 135°

13 두 각도의 합을 구하시오.

105°

14 두 각도의 합을 구하시오.

(1) 20°+50°= **70°**

(2) 40°+65°= **105°**

(3) 75°+30°= **105°**

(4) 45°+85°= **130°**

(5) 135°+25°= **160°**

15 두 각도의 차를 구하시오.

(1)

30°

(2)

65°

16 두 각도의 차를 구하시오.

(1) 60°−40°= **20°**

(2) 80°−50°= **30°**

(3) 120°−30°= **90°**

(4) 115°−45°= **70°**

(5) 140°−105°= **35°**

17 삼각형의 세 각의 크기의 합을 구하려고 합니다. ☐ 안에 알맞은 각도를 써넣으시오.

(1)

80°+40°+60°= **180°**

(2)

115°+30°+35°= **180°**

18 ☐ 안에 알맞은 각도를 써넣으시오.

180°−45°−60°= **75°**

19 사각형의 네 각의 크기의 합을 구하려고 합니다. ☐ 안에 알맞은 각도를 써넣으시오.

95°+90°+70°+105°= **360°**

20 ☐ 안에 알맞은 각도를 써넣으시오.

360°−50°−125°−115°= **70°**

단원 평가   2. 각도

정답 17쪽

1 다음 중 가장 큰 각과 가장 작은 각을 각각 찾아 기호를 쓰시오.

가장 큰 각 (㉡)
가장 작은 각 (㉠)

2 각도를 구하시오.

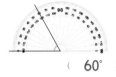

(60°)

3 각도기와 자를 이용하여 각도가 100°인 각을 그려 보시오.

예

4 각을 보고 예각과 둔각 중 어느 것인지 안에 써넣으시오.

(1)  예각

(2) 둔각

5 각도를 어림하고 각도기로 재어 확인해 보시오.

어림한 각도: 약 (예 45°)
잰 각도: (45°)

6 두 각도의 차를 구하시오.

(1)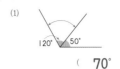
(70°)

(2)
(55°)

7 각도기로 재어 안에 알맞은 각도를 써넣으시오.

㉠+㉡+㉢
=40°+80°+60°
=180°

8 각도기를 이용하여 각의 크기를 재고, 주어진 선분을 이용하여 크기가 같은 각을 그려 보시오.

예

80°

9 둔각을 모두 찾아 쓰시오.

150° 70° 15°
180° 100° 90°

(150°, 100°)

10 도형에서 예각은 모두 몇 개입니까?

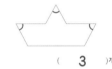

(3)개

11 관계있는 것끼리 선으로 이어 보시오.

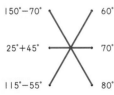

150°-70°   60°
25°+45°   70°
115°-55°   80°

12 하연이는 90°, 주만이는 120°로 각도를 어림했습니다. 각도기로 재어 확인해 보고 어림을 더 잘한 사람의 이름을 쓰시오.

100°

(하연)

13 두 각도의 합과 차를 구하시오.

35   120

합 (155°)
차 (85°)

14 삼각형의 두 각의 크기가 각각 다음과 같을 때 나머지 한 각의 크기를 구하시오.

(1) 45   70
(65°)
180°-45°-70°=65°

(2) 115   25
(40°)
180°-115°-25°=40°

15 안에 알맞은 각도를 써넣으시오.

360°-115°-75°-90°=80°

16 안에 알맞은 각도를 써넣으시오.

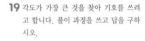

180°-35°-80°=65°

17 주호가 집에 도착하여 시계를 보니 4시 30분이었습니다. 시계의 긴바늘과 짧은 바늘이 이루는 작은 쪽의 각은 예각, 직각, 둔각 중 어느 것입니까?

(예각)

18 직각 삼각자 2개를 이용하여 만든 것입니다. ㉠의 각도를 구하시오.

(35°)

110°-30°-45°=35°

19 각도가 가장 큰 것을 찾아 기호를 쓰려고 합니다. 풀이 과정을 쓰고 답을 구하시오.

㉠ 15°+60°   ㉡ 150°-90°
㉢ 125°-45°   ㉣ 30°+40°

풀이 예 ㉠ 75° ㉡ 60°
㉢ 80° ㉣ 70°
80°>75°>70°>60°

답 ㉢

20 삼각형에서 ㉠은 몇 도인지 구하시오.

(75°)

180°-125°=55°
㉠=180°-55°-50°=75°

01 (세 자리 수)×(몇십)

● 356×20 알아보기

$$
\begin{array}{r}
356 \\
\times\ 20 \\
\hline
0
\end{array}
\rightarrow
\begin{array}{r}
356 \\
\times\ 20 \\
\hline
2\ 0
\end{array}
\rightarrow
\begin{array}{r}
356 \\
\times\ 20 \\
\hline
1\ 2\ 0
\end{array}
\rightarrow
\begin{array}{r}
356 \\
\times\ 20 \\
\hline
7\ 1\ 2\ 0
\end{array}
$$

0이 1개   └6×2=12   └5×2+1=11   └3×2+1=7

1 곱셈을 하시오.

보기
$$
\begin{array}{r}
2\ 0\ 0 \\
\times\ \ 4\ 0 \\
\hline
8\ 0\ 0\ 0
\end{array}
$$
0이 3개

$$
\begin{array}{r}
3\ 0\ 0 \\
\times\ \ 3\ 0 \\
\hline
9\ 0\ 0\ 0
\end{array}
\qquad
\begin{array}{r}
5\ 0\ 0 \\
\times\ \ 4\ 0 \\
\hline
2\ 0\ 0\ 0\ 0
\end{array}
$$

$$
\begin{array}{r}
3\ 0\ 0 \\
\times\ \ 6\ 0 \\
\hline
1\ 8\ 0\ 0\ 0
\end{array}
\qquad
\begin{array}{r}
2\ 0\ 0 \\
\times\ \ 8\ 0 \\
\hline
1\ 6\ 0\ 0\ 0
\end{array}
\qquad
\begin{array}{r}
7\ 0\ 0 \\
\times\ \ 2\ 0 \\
\hline
1\ 4\ 0\ 0\ 0
\end{array}
$$

$$
\begin{array}{r}
5\ 0\ 0 \\
\times\ \ 5\ 0 \\
\hline
2\ 5\ 0\ 0\ 0
\end{array}
\qquad
\begin{array}{r}
6\ 0\ 0 \\
\times\ \ 4\ 0 \\
\hline
2\ 4\ 0\ 0\ 0
\end{array}
\qquad
\begin{array}{r}
9\ 0\ 0 \\
\times\ \ 3\ 0 \\
\hline
2\ 7\ 0\ 0\ 0
\end{array}
$$

$$
\begin{array}{r}
8\ 0\ 0 \\
\times\ \ 4\ 0 \\
\hline
3\ 2\ 0\ 0\ 0
\end{array}
\qquad
\begin{array}{r}
4\ 0\ 0 \\
\times\ \ 7\ 0 \\
\hline
2\ 8\ 0\ 0\ 0
\end{array}
\qquad
\begin{array}{r}
5\ 0\ 0 \\
\times\ \ 9\ 0 \\
\hline
4\ 5\ 0\ 0\ 0
\end{array}
$$

2 곱셈을 하시오.

$$
\begin{array}{r}
1\ 5\ 0 \\
\times\ \ 3\ 0 \\
\hline
4\ 5\ 0\ 0
\end{array}
\qquad
\begin{array}{r}
5\ 2\ 0 \\
\times\ \ 4\ 0 \\
\hline
2\ 0\ 8\ 0\ 0
\end{array}
\qquad
\begin{array}{r}
2\ 6\ 0 \\
\times\ \ 5\ 0 \\
\hline
1\ 3\ 0\ 0\ 0
\end{array}
$$

$$
\begin{array}{r}
4\ 6\ 3 \\
\times\ \ 2\ 0 \\
\hline
9\ 2\ 6\ 0
\end{array}
\qquad
\begin{array}{r}
7\ 2\ 6 \\
\times\ \ 3\ 0 \\
\hline
2\ 1\ 7\ 8\ 0
\end{array}
\qquad
\begin{array}{r}
3\ 5\ 8 \\
\times\ \ 6\ 0 \\
\hline
2\ 1\ 4\ 8\ 0
\end{array}
$$

$$
\begin{array}{r}
1\ 9\ 5 \\
\times\ \ 8\ 0 \\
\hline
1\ 5\ 6\ 0\ 0
\end{array}
\qquad
\begin{array}{r}
6\ 3\ 9 \\
\times\ \ 3\ 0 \\
\hline
1\ 9\ 1\ 7\ 0
\end{array}
\qquad
\begin{array}{r}
4\ 9\ 7 \\
\times\ \ 6\ 0 \\
\hline
2\ 9\ 8\ 2\ 0
\end{array}
$$

$$
\begin{array}{r}
5\ 0\ 6 \\
\times\ \ 7\ 0 \\
\hline
3\ 5\ 4\ 2\ 0
\end{array}
\qquad
\begin{array}{r}
2\ 4\ 3 \\
\times\ \ 5\ 0 \\
\hline
1\ 2\ 1\ 5\ 0
\end{array}
\qquad
\begin{array}{r}
9\ 6\ 8 \\
\times\ \ 2\ 0 \\
\hline
1\ 9\ 3\ 6\ 0
\end{array}
$$

$$
\begin{array}{r}
7\ 5\ 3 \\
\times\ \ 6\ 0 \\
\hline
4\ 5\ 1\ 8\ 0
\end{array}
\qquad
\begin{array}{r}
3\ 1\ 9 \\
\times\ \ 8\ 0 \\
\hline
2\ 5\ 5\ 2\ 0
\end{array}
\qquad
\begin{array}{r}
8\ 0\ 6 \\
\times\ \ 7\ 0 \\
\hline
5\ 6\ 4\ 2\ 0
\end{array}
$$

3 곱셈을 하시오.

보기
$$140\times30=\boxed{\ \ }\ 0\ 0 \Rightarrow 140\times30=4\ 2\ 0\ 0$$
0이 2개   14×3=42

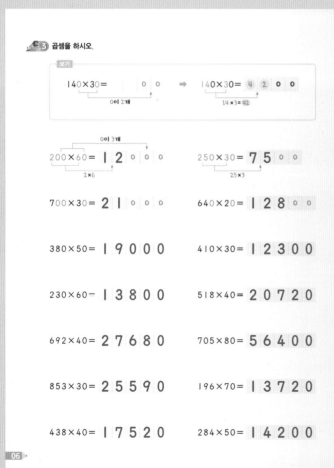

0이 3개
$$200\times60=12\ 0\ 0\ 0$$
2×6

$$250\times30=75\ 0\ 0$$
25×3

$$700\times30=21\ 0\ 0\ 0$$
$$640\times20=128\ 0\ 0$$

$$380\times50=19000$$
$$410\times30=12300$$

$$230\times60=13800$$
$$518\times40=20720$$

$$692\times40=27680$$
$$705\times80=56400$$

$$853\times30=25590$$
$$196\times70=13720$$

$$438\times40=17520$$
$$284\times50=14200$$

4 곱셈 실력을 점검해 보시오.

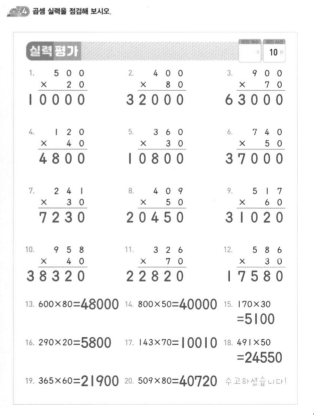

실력평가

1.
$$
\begin{array}{r}
5\ 0\ 0 \\
\times\ \ 2\ 0 \\
\hline
1\ 0\ 0\ 0\ 0
\end{array}
$$
2.
$$
\begin{array}{r}
4\ 0\ 0 \\
\times\ \ 8\ 0 \\
\hline
3\ 2\ 0\ 0\ 0
\end{array}
$$
3.
$$
\begin{array}{r}
9\ 0\ 0 \\
\times\ \ 7\ 0 \\
\hline
6\ 3\ 0\ 0\ 0
\end{array}
$$

4.
$$
\begin{array}{r}
1\ 2\ 0 \\
\times\ \ 4\ 0 \\
\hline
4\ 8\ 0\ 0
\end{array}
$$
5.
$$
\begin{array}{r}
3\ 6\ 0 \\
\times\ \ 3\ 0 \\
\hline
1\ 0\ 8\ 0\ 0
\end{array}
$$
6.
$$
\begin{array}{r}
7\ 4\ 0 \\
\times\ \ 5\ 0 \\
\hline
3\ 7\ 0\ 0\ 0
\end{array}
$$

7.
$$
\begin{array}{r}
2\ 4\ 1 \\
\times\ \ 3\ 0 \\
\hline
7\ 2\ 3\ 0
\end{array}
$$
8.
$$
\begin{array}{r}
4\ 0\ 9 \\
\times\ \ 5\ 0 \\
\hline
2\ 0\ 4\ 5\ 0
\end{array}
$$
9.
$$
\begin{array}{r}
5\ 1\ 7 \\
\times\ \ 6\ 0 \\
\hline
3\ 1\ 0\ 2\ 0
\end{array}
$$

10.
$$
\begin{array}{r}
9\ 5\ 8 \\
\times\ \ 4\ 0 \\
\hline
3\ 8\ 3\ 2\ 0
\end{array}
$$
11.
$$
\begin{array}{r}
3\ 2\ 6 \\
\times\ \ 7\ 0 \\
\hline
2\ 2\ 8\ 2\ 0
\end{array}
$$
12.
$$
\begin{array}{r}
5\ 8\ 6 \\
\times\ \ 3\ 0 \\
\hline
1\ 7\ 5\ 8\ 0
\end{array}
$$

13. $600\times80=48000$
14. $800\times50=40000$
15. $170\times30=5100$

16. $290\times20=5800$
17. $143\times70=10010$
18. $491\times50=24550$

19. $365\times60=21900$
20. $509\times80=40720$ 수고하셨습니다!

02 (세 자리 수)×(두 자리 수)

정답 19쪽

● 265×32 알아보기

```
    2 6 5          2 6 5            2 6 5
  ×   3 2    ⇒   ×   3 2    ⇒    ×   3 2
    5 3 0 ←265×2   5 3 0           5 3 0
                  7 9 5 0 ←265×30  7 9 5 0   ┐0을 생략하여
                                   8 4 8 0   │나타낼 수 있음
                                             530+7950
```

1 안에 알맞은 수를 써넣으시오.

```
    1 5 4          1 5 4           1 0 7          1 0 7
  ×   2 5        ×     5         ×   6 3        ×     3
    7 7 0          7 7 0           3 2 1          3 2 1
  3 0 8 0        6 4 2 0          6 7 4 1        6 4 2 0
  3 8 5 0          1 5 4                          1 0 7
                 ×    2 0                        ×    6 0
                 3 0 8 0                         6 4 2 0
```

```
    3 6 9          3 6 9           4 2 5          4 2 5
  ×   2 7        ×     7         ×   1 6        ×     6
  2 5 8 3        2 5 8 3         2 5 5 0        2 5 5 0
  7 3 8 0                        4 2 5 0        
  9 9 6 3          3 6 9         6 8 0 0          4 2 5
                 ×    2 0                        ×    1 0
                 7 3 8 0                         4 2 5 0
```

2 안에 알맞은 수를 써넣으시오.

```
보기
    2 3 6              2 9 6
  ×   2 4            ×   1 5
    9 4 4 ←236×4    1 4 8 0 ←296×5
  4 7 2 0 ←236×20   2 9 6 0 ←296×10
  5 6 6 4 ←944+4720 4 4 4 0
```

```
    1 3 9              3 8 0
  ×   6 7            ×   4 2
    9 7 3 ←139×7       7 6 0 ←380×2
  8 3 4 0 ←139×60  1 5 2 0 0 ←380×40
  9 3 1 3          1 5 9 6 0
```

```
    6 1 9              4 4 5
  ×   5 3            ×   3 9
  1 8 5 7            4 0 0 5
  3 0 9 5 0        1 3 3 5 0
  3 2 8 0 7        1 7 3 5 5
```

```
    5 9 2              9 0 6
  ×   2 7            ×   8 5
  4 1 4 4            4 5 3 0
  1 1 8 4 0        7 2 4 8 0
  1 5 9 8 4        7 7 0 1 0
```

3 곱셈을 하시오.

```
    3 1 4          2 1 7           5 3 1
  ×   4 2        ×   5 3         ×   2 8
    6 2 8          6 5 1         4 2 4 8
  1 2 5 6        1 0 8 5         1 0 6 2
  1 3 1 8 8      1 1 5 0 1       1 4 8 6 8
```

```
    5 9 0          2 4 7           8 6 4
  ×   2 9        ×   6 9         ×   3 6
  5 3 1 0        2 2 2 3         5 1 8 4
  1 1 8 0        1 4 8 2         2 5 9 2
  1 7 1 1 0      1 7 0 4 3       3 1 1 0 4
```

```
    7 0 8          3 9 5           4 7 9
  ×   9 2        ×   3 7         ×   8 1
  1 4 1 6        2 7 6 5           4 7 9
  6 3 7 2        1 1 8 5         3 8 3 2
  6 5 1 3 6      1 4 6 1 5       3 8 7 9 9
```

```
    9 2 5          7 5 1           6 7 9
  ×   3 3        ×   5 8         ×   6 4
  2 7 7 5        6 0 0 8         2 7 1 6
  2 7 7 5        3 7 5 5         4 0 7 4
  3 0 5 2 5      4 3 5 5 8       4 3 4 5 6
```

4 계산 결과가 같은 칸을 찾아 해당하는 글자를 써넣어 수수께끼를 해결해 보시오.

```
독
    1 3 7
  ×   2 6
    8 2 2
  2 7 4
  3 5 6 2
```

```
은
    3 6 0
  ×   1 7
  2 5 2 0
    3 6 0
  6 1 2 0
```

```
슬
    2 3 4
  ×   7 5
  1 1 7 0
  1 6 3 8
  1 7 5 5 0
```

```
돈
    5 9 2
  ×   3 8
  4 7 3 6
  1 7 7 6
  2 2 4 9 6
```

```
도
    9 1 1
  ×   7 2
  1 8 2 2
  6 3 7 7
  6 5 5 9 2
```

```
훔
    1 8 7
  ×   5 3
    5 6 1
    9 3 5
  9 9 1 1
```

```
친
    2 0 8
  ×   9 4
    8 3 2
  1 8 7 2
  1 9 5 5 2
```

```
이
    6 9 0
  ×   4 1
    6 9 0
  2 7 6 0
  2 8 2 9 0
```

```
쩍
    5 1 8
  ×   2 9
  4 6 6 2
  1 0 3 6
  1 5 0 2 2
```

| 65592 | 3562 | 28290 | 17550 | 15022 |
| 도 | 둑 | 이 | 슬 | 쩍 |

| 9911 | 19552 | 22496 | 6120 |
| 훔 | 친 | 돈 | 은 | ？ |

정답위치 **슬그머니**
돈=money(머니)

03 몇십으로 나누기

정답 20쪽

● 140÷20 알아보기

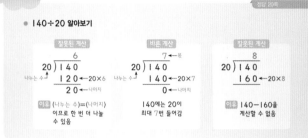

잘못된 계산	바른 계산	잘못된 계산

```
        6                  7←몫              8
  20)140           20)140           20)140
나누는수→120←20×6   나누는수→140←20×7     160←20×8
        20←나머지          0←나머지
```

이유 (나누는 수)=(나머지)이므로 한 번 더 나눌 수 있음

140에는 20이 최대 7번 들어감

이유 140-160을 계산할 수 없음

1 안에 알맞은 수를 써넣으시오.

보기
$30× 8 =240$

```
         8
  30)2 4 0
     2 4 0
         0
```

$50× 7 =350$
```
         7
  50)3 5 0
     3 5 0
         0
```

$40× 3 =120$
```
         3
  40)1 2 0
     1 2 0
         0
```

$60× 8 =480$
```
         8
  60)4 8 0
     4 8 0
         0
```

$90× 8 =720$
```
         8
  90)7 2 0
     7 2 0
         0
```

$70× 7 =490$
```
         7
  70)4 9 0
     4 9 0
         0
```

2 나눗셈을 하시오.

```
        9                4                7
  20)180          50)200          40)280
     180             200             280
       0               0               0
```

```
        5                6                2
  30)150          60)360          70)140
     150             360             140
       0               0               0
```

```
        5                8                5
  90)450          80)640          50)250
     450             640             250
       0               0               0
```

```
        5                6                9
  20)100          80)480          60)540
     100             480             540
       0               0               0
```

```
        8                4                7
  70)560          40)160          90)630
     560             160             630
       0               0               0
```

● 152÷30 알아보기

잘못된 계산	바른 계산	잘못된 계산

```
        4                5←몫              6
  30)152           30)152           30)152
나누는수→120←30×4   나누는수→150←30×5     180←30×6
        32←나머지          2←나머지
```

이유 (나누는 수)<(나머지)이므로 한 번 더 나눌 수 있음

152에는 30이 최대 5번 들어감

이유 152-180을 계산할 수 없음

3 안에 알맞은 수를 써넣으시오.

보기
$40× 4 <168$
168에 가장 가까운 곱
```
         4
  40)1 6 8
     1 6 0
         8
```

$50× 5 <256$
256에 가장 가까운 곱
```
         5
  50)2 5 6
     2 5 0
         6
```

$20× 7 <149$
149에 가장 가까운 곱
```
         7
  20)1 4 9
     1 4 0
         9
```

$70× 5 <365$
365에 가장 가까운 곱
```
         5
  70)3 6 5
     3 5 0
         1 5
```

$30× 6 <207$
207에 가장 가까운 곱
```
         6
  30)2 0 7
     1 8 0
         2 7
```

$90× 7 <641$
641에 가장 가까운 곱
```
         7
  90)6 4 1
     6 3 0
         1 1
```

4 계산을 하고 검산해 보시오.

보기
```
      ×   8
  30)2 5 1
  240  2 4 0  251
     ＋   1 1
```
검산 $30×8+11=251$

```
      ×   8
  20)1 7 0
      1 6 0
    ＋   1 0
```
검산 $20×8+10=170$

```
      ×   3
  80)2 8 7
      2 4 0
    ＋   4 7
```
검산 $80×3+47=287$

```
          5
  60)3 1 5
      3 0 0
          1 5
```
검산 $60×5+15=315$

```
          8
  50)4 2 0
      4 0 0
          2 0
```
검산 $50×8+20=420$

```
          6
  90)5 9 4
      5 4 0
          5 4
```
검산 $90×6+54=594$

```
          4
  70)3 0 8
      2 8 0
          2 8
```
검산 $70×4+28=308$

```
          9
  40)3 8 5
      3 6 0
          2 5
```
검산 $40×9+25=385$

04 (두 자리 수)÷(두 자리 수)

초등 4-1
③ 곱셈과 나눗셈

정답 21쪽

● 52÷13 알아보기

잘못된 계산	바른 계산	잘못된 계산
3 ← 몫	4 ← 몫	5
13)52	13)52	13)52
나누는 수→ 39 ← 13×3	나누는 수→ 52 ← 13×4	65 ← 13×5
13 ← 나머지	0 ← 나머지	

이유 (나누는 수)=(나머지)이므로 한 번 더 나눌 수 있음

52에는 13이 최대 4번 들어감

이유 52-65를 계산할 수 없음

🐿 1 안에 알맞은 수를 써넣으시오.

보기
```
17× 4 =68

        4
   17) 6 8
      6 8
        0
```

```
21× 3 =63

        3
   21) 6 3
      6 3
        0
```

```
35× 2 =70

        2
   35) 7 0
      7 0
        0
```

```
45× 2 =90

        2
   45) 9 0
      9 0
        0
```

```
14× 6 =84

        6
   14) 8 4
      8 4
        0
```

```
23× 4 =92

        4
   23) 9 2
      9 2
        0
```

🐿 2 나눗셈을 하시오.

```
        3
   32) 9 6
      9 6
        0
```
```
        7
   14) 9 8
      9 8
        0
```
```
        5
   17) 8 5
      8 5
        0
```

```
        7
   13) 9 1
      9 1
        0
```
```
        5
   16) 8 0
      8 0
        0
```
```
        3
   26) 7 8
      7 8
        0
```

```
        4
   22) 8 8
      8 8
        0
```
```
        3
   25) 7 5
      7 5
        0
```
```
        3
   16) 4 8
      4 8
        0
```

```
        6
   15) 9 0
      9 0
        0
```
```
        2
   42) 8 4
      8 4
        0
```
```
        8
   12) 9 6
      9 6
        0
```

```
        3
   28) 8 4
      8 4
        0
```
```
        3
   31) 9 3
      9 3
        0
```
```
        4
   19) 7 6
      7 6
        0
```

● 84÷13 알아보기

잘못된 계산	바른 계산	잘못된 계산
5	6 ← 몫	7
13)84	13)84	13)84
나누는 수→ 65 ← 13×5	나누는 수→ 78 ← 13×6	91 ← 13×7
19 ← 나머지	6 ← 나머지	

이유 (나누는 수)<(나머지)이므로 한 번 더 나눌 수 있음

84에는 13이 최대 6번 들어감

이유 84-91을 계산할 수 없음

🐿 3 안에 알맞은 수를 써넣으시오.

보기
```
15× 5 <78
78에 가장 가까운 곱

        5
   15) 7 8
      7 5
        3
```

```
23× 4 <95
95에 가장 가까운 곱

        4
   23) 9 5
      9 2
        3
```

```
12× 5 <69
69에 가장 가까운 곱

        5
   12) 6 9
      6 0
        9
```

```
41× 2 <86
86에 가장 가까운 곱

        2
   41) 8 6
      8 2
        4
```

```
18× 4 <85
85에 가장 가까운 곱

        4
   18) 8 5
      7 2
       13
```

```
32× 2 <93
93에 가장 가까운 곱

        2
   32) 9 3
      6 4
       29
```

🐿 4 계산을 하고 검산해 보시오.

보기
```
        × 5
   11) 5 9
     55  55    59
        + 4
```
검산 11×5+4=59

```
        × 7
   14) 9 9
      9 8
```
검산 14×7+1=99

```
        × 2
   35) 8 2
      7 0
       1 2
```
검산 35×2+12=82

```
        4
   19) 8 1
      7 6
        5
```
검산 19×4+5=81

```
        5
   17) 9 0
      8 5
        5
```
검산 17×5+5=90

```
        3
   22) 8 1
      6 6
       1 5
```
검산 22×3+15=81

```
        2
   31) 7 9
      6 2
       1 7
```
검산 31×2+17=79

```
        5
   13) 6 8
      6 5
        3
```
검산 13×5+3=68

05 몫이 한 자리 수인 (세 자리 수)÷(두 자리 수)

정답 22쪽

● 156÷52 알아보기

① 안에 알맞은 수를 써넣으시오.

보기
```
32× 6 =192

      6
32)1 9 2
  1 9 2
      0
```

```
54× 8 =432

      8
54)4 3 2
  4 3 2
      0
```

```
45× 4 =180

      4
45)1 8 0
  1 8 0
      0
```

```
63× 5 =315

      5
63)3 1 5
  3 1 5
      0
```

```
27× 7 =189

      7
27)1 8 9
  1 8 9
      0
```

```
96× 6 =576

      6
96)5 7 6
  5 7 6
      0
```

② 나눗셈을 하시오.

```
      5
52)260
  260
    0
```
```
      9
17)153
  153
    0
```
```
      7
36)252
  252
    0
```

```
      6
31)186
  186
    0
```
```
      8
25)200
  200
    0
```
```
      9
49)441
  441
    0
```

```
      3
47)141
  141
    0
```
```
      4
68)272
  272
    0
```
```
      9
33)297
  297
    0
```

```
      9
23)207
  207
    0
```
```
      5
94)470
  470
    0
```
```
      6
59)354
  354
    0
```

```
      6
82)492
  492
    0
```
```
      7
76)532
  532
    0
```
```
      8
91)728
  728
    0
```

● 164÷52 알아보기

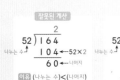

③ 안에 알맞은 수를 써넣으시오.

보기
```
23× 6 <150
150에 가장 가까운 곱

      6
23)1 5 0
  1 3 8
    1 2
```

```
41× 3 <128
128에 가장 가까운 곱

      3
41)1 2 8
  1 2 3
      5
```

```
17× 8 <141
141에 가장 가까운 곱

      8
17)1 4 1
  1 3 6
      5
```

```
58× 5 <303
303에 가장 가까운 곱

      5
58)3 0 3
  2 9 0
    1 3
```

```
36× 4 <172
172에 가장 가까운 곱

      4
36)1 7 2
  1 4 4
    2 8
```

```
65× 8 <538
538에 가장 가까운 곱

      8
65)5 3 8
  5 2 0
    1 8
```

④ 계산을 하고 검산해 보시오.

보기
```
       × 6
   25)174
  150 150  174
     + 24
검산 25×6+24=174
```

```
       × 4
   81)347
      3 2 4
        2 3
검산 81×4+23=347
```

```
       × 5
   36)215
     1 8 0
     + 3 5
검산 36×5+35=215
```

```
       5
   54)296
     2 7 0
       2 6
검산 54×5+26=296
```

```
      8
  19)163
    1 5 2
      1 1
검산 19×8+11=163
```

```
      7
  48)350
    3 3 6
      1 4
검산 48×7+14=350
```

```
      4
  27)1 2 1
    1 0 8
      1 3
검산 27×4+13=121
```

```
      5
  66)3 4 3
    3 3 0
      1 3
검산 66×5+13=343
```

06 몫이 두 자리 수인 (세 자리 수)÷(두 자리 수)

정답 23쪽

● 312÷13 알아보기

$$13\overline{)312} \rightarrow 13\overline{)\begin{array}{r}2\\312\\26\\\hline5\end{array}} \rightarrow 13\overline{)\begin{array}{r}2\\312\\26\\\hline52\end{array}} \rightarrow 13\overline{)\begin{array}{r}24\\312\\26\\\hline52\\52\\\hline0\end{array}}$$

3은 13으로　　31에는 13이　　남은 수를 구함　　52에는 13이
나눌 수 없음　최대 2번 들어감　312-260=52　최대 4번 들어감

1 빈칸에 알맞은 수를 써넣으시오.

보기
$$12\overline{)\begin{array}{r}28\\336\\24\\\hline96\\96\\\hline0\end{array}}$$

$$35\overline{)\begin{array}{r}11\\385\\35\\\hline35\\35\\\hline0\end{array}}$$

$$28\overline{)\begin{array}{r}19\\532\\28\\\hline252\\252\\\hline0\end{array}}$$

$$46\overline{)\begin{array}{r}15\\690\\46\\\hline230\\230\\\hline0\end{array}}$$

$$25\overline{)\begin{array}{r}37\\925\\75\\\hline175\\175\\\hline0\end{array}}$$

$$17\overline{)\begin{array}{r}36\\612\\51\\\hline102\\102\\\hline0\end{array}}$$

2 나눗셈을 하시오.

$$12\overline{)\begin{array}{r}42\\504\\48\\\hline24\\24\\\hline0\end{array}}$$

$$34\overline{)\begin{array}{r}12\\408\\34\\\hline68\\68\\\hline0\end{array}}$$

$$26\overline{)\begin{array}{r}25\\650\\52\\\hline130\\130\\\hline0\end{array}}$$

$$45\overline{)\begin{array}{r}16\\720\\45\\\hline270\\270\\\hline0\end{array}}$$

$$17\overline{)\begin{array}{r}26\\442\\34\\\hline102\\102\\\hline0\end{array}}$$

$$52\overline{)\begin{array}{r}19\\988\\52\\\hline468\\468\\\hline0\end{array}}$$

$$23\overline{)\begin{array}{r}36\\828\\69\\\hline138\\138\\\hline0\end{array}}$$

$$38\overline{)\begin{array}{r}13\\494\\38\\\hline114\\114\\\hline0\end{array}}$$

$$19\overline{)\begin{array}{r}39\\741\\57\\\hline171\\171\\\hline0\end{array}}$$

$$28\overline{)\begin{array}{r}23\\644\\56\\\hline84\\84\\\hline0\end{array}}$$

$$29\overline{)\begin{array}{r}31\\899\\87\\\hline29\\29\\\hline0\end{array}}$$

$$56\overline{)\begin{array}{r}15\\840\\56\\\hline280\\280\\\hline0\end{array}}$$

● 516÷31 알아보기

$$31\overline{)516} \rightarrow 31\overline{)\begin{array}{r}1\\516\\31\\\hline20\end{array}} \rightarrow 31\overline{)\begin{array}{r}1\\516\\31\\\hline206\end{array}} \rightarrow 31\overline{)\begin{array}{r}16\\516\\31\\\hline206\\186\\\hline20\end{array}}$$

5는 31로　　51에는 31이　　남은 수를 구함　206에는 31이
나눌 수 없음　최대 1번 들어감　516-310=206　최대 6번 들어감

3 빈칸에 알맞은 수를 써넣으시오.

보기
$$23\overline{)\begin{array}{r}25\\578\\46\\\hline118\\115\\\hline3\end{array}}$$

$$16\overline{)\begin{array}{r}12\\195\\16\\\hline35\\32\\\hline3\end{array}}$$

$$55\overline{)\begin{array}{r}14\\780\\55\\\hline230\\220\\\hline10\end{array}}$$

$$32\overline{)\begin{array}{r}25\\821\\64\\\hline181\\160\\\hline21\end{array}}$$

$$47\overline{)\begin{array}{r}21\\991\\94\\\hline51\\47\\\hline4\end{array}}$$

$$46\overline{)\begin{array}{r}14\\668\\46\\\hline208\\184\\\hline24\end{array}}$$

4 계산을 하고 검산해 보시오.

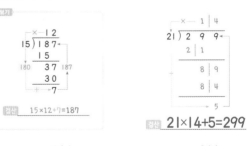

보기
$$15\overline{)\begin{array}{r}12\\187\\15\\\hline37\\30\\\hline7\end{array}}$$
검산 15×12+7=187

$$21\overline{)\begin{array}{r}14\\299\\21\\\hline89\\84\\\hline5\end{array}}$$
검산 21×14+5=299

$$34\overline{)\begin{array}{r}21\\735\\68\\\hline55\\34\\\hline21\end{array}}$$
검산 34×21+21=735

$$19\overline{)\begin{array}{r}36\\692\\57\\\hline122\\114\\\hline8\end{array}}$$
검산 19×36+8=692

$$24\overline{)\begin{array}{r}24\\590\\48\\\hline110\\96\\\hline14\end{array}}$$
검산 24×24+14=590

$$48\overline{)\begin{array}{r}17\\836\\48\\\hline356\\336\\\hline20\end{array}}$$
검산 48×17+20=836

도전! 응용문제

정답 24쪽

유형 1

농장에서 수확한 밤을 한 상자에 ⟨350⟩개씩 담았습니다. ⟨40⟩상자에는 밤이 모두 몇 개 들어 있습니까?

■ 주어진 수에 ○표 하고, 구하는 것에 밑줄 치기
한 상자에 담은 밤의 수: **350** 개, 상자의 수: **40** 상자

■ 문제 해결하기
한 상자에 담은 밤의 수와 상자의 수를 (곱합니다 , 나눕니다).

■ 문제 풀기
(전체 밤의 수)=(한 상자에 담은 밤의 수)×(상자의 수)
= 350 × 40 = **14000** (개)

■ 답 쓰기
밤이 모두 **14000** 개 들어 있습니다.

유형 1 +

마트에서 한 봉지에 ⟨980⟩원 하는 사탕을 ⟨24⟩봉지 샀습니다. 마트에서 산 사탕의 값은 모두 얼마입니까?

■ 주어진 수에 ○표 하고, 구하는 것에 밑줄 치기
사탕 한 봉지의 값: **980** 원, 사탕 봉지의 수: **24** 봉지

■ 문제 해결하기
사탕 한 봉지의 값과 사탕 봉지의 수를 (곱합니다 , 나눕니다).

■ 문제 풀기
(사탕의 값)=(사탕 한 봉지의 값)×(사탕 봉지의 수)
= 980 × 24 = **23520** (원)

■ 답 쓰기
사탕의 값은 모두 **23520** 원입니다.

유형 2

구슬 ⟨210⟩개를 한 봉지에 ⟨35⟩개씩 담으려고 합니다. 구슬은 모두 몇 봉지가 되겠습니까?

■ 주어진 수에 ○표 하고, 구하는 것에 밑줄 치기
전체 구슬의 수: **210** 개, 한 봉지에 담을 구슬의 수: **35** 개

■ 문제 해결하기
전체 구슬의 수를 한 봉지에 담을 구슬의 수로 (곱합니다 , 나눕니다).

■ 문제 풀기
(구슬을 담을 봉지의 수)=(전체 구슬의 수)÷(한 봉지에 담을 구슬의 수)
= 210 ÷ 35 = **6** (봉지)

■ 답 쓰기
구슬은 모두 **6** 봉지가 됩니다.

유형 2 +

달걀 ⟨186⟩개를 팔기 위해 한 상자에 ⟨15⟩개씩 담으려고 합니다. 달걀을 몇 상자까지 담을 수 있고 남는 달걀은 몇 개입니까?

■ 주어진 수에 ○표 하고, 구하는 것에 밑줄 치기
전체 달걀의 수: **186** 개, 한 상자에 담을 달걀의 수: **15** 개

■ 문제 해결하기
전체 달걀의 수를 한 상자에 담을 달걀의 수로 (곱합니다 , 나눕니다).

■ 문제 풀기
(상자에 담을 수 있는 달걀의 수)=(전체 달걀의 수)÷(한 상자에 담을 달걀의 수)
= 186 ÷ 15 = **12** … **6**

■ 답 쓰기
달걀을 **12** 상자까지 담을 수 있고 남는 달걀은 **6** 개입니다.

● ⬜ 안에 알맞은 수를 써넣고, 답을 구하시오.

1 Drill
하루에 380km씩 달리는 마을버스가 있습니다. 이 마을버스가 30일 동안 달리면 모두 몇 km를 달리게 됩니까?

주어진 수에 ○표 하고, 구하는 것에 밑줄 짝!

풀이 (마을버스가 30일 동안 달린 거리)
=(마을버스가 하루 동안 달린 거리)×(달린 날수)
= 380 × 30 = **11400** (km)

답 **11400** km

2 Drill
어느 공장에서 자전거를 하루에 275대씩 생산한다고 합니다. 이 공장에서 14일 동안 생산하는 자전거는 모두 몇 대입니까?

풀이 (14일 동안 생산하는 자전거의 수)
=(하루에 생산하는 자전거의 수)×(생산한 날수)
= 275 × 14 = **3850** (대)

답 **3850** 대

3 Drill
진영이가 180쪽인 동화책을 읽으려고 합니다. 하루에 20쪽씩 읽으면 며칠 안에 모두 읽을 수 있습니까?

풀이 (동화책을 읽은 날수)
=(전체 동화책 쪽수)÷(하루 동안 읽은 동화책 쪽수)
= 180 ÷ 20 = **9** (일)

답 **9** 일

4 Drill
과수원에서 석류를 327개 땄습니다. 이 석류를 한 상자에 15개씩 담아서 팔려고 합니다. 몇 상자까지 팔 수 있습니까?

풀이 (팔 수 있는 상자 수)=(전체 석류의 수)÷(한 상자에 담은 석류의 수)
= 327 ÷ 15 = **21** … **12**

나머지 **12** 개는 한 상자로 팔 수 없으므로 **21** 상자까지 팔 수 있습니다.

답 **21** 상자

● 서술형 문제를 읽고 풀이 과정과 답을 쓰시오.

도전 1
선주는 하루에 줄넘기를 240번씩 합니다. 선주가 40일 동안 한 줄넘기는 모두 몇 번입니까?

예 풀이 (40일 동안 한 줄넘기 수)
=(하루 동안 한 줄넘기 수)×(줄넘기 한 날수)
=240 × 40=9600(번)   답 **9600번**

도전 2
하루는 24시간입니다. 1년을 365일이라고 한다면 1년은 모두 몇 시간입니까?

예 풀이 (1년의 날수)×(하루의 시간)
=365 × 24=8760(시간)   답 **8760시간**

도전 3
450명의 학생들이 체험 학습을 위해 정원이 25명인 버스를 타고 가기로 했습니다. 버스에 학생들이 모두 타려면 버스는 몇 대 필요합니까?

예 풀이 (필요한 버스의 수)
=(전체 학생 수)÷(한 대에 탈 수 있는 학생 수)   답 **18대**
=450 ÷ 25=18(대)

도전 4
265mL의 간장을 한 병에 40mL씩 담으려고 합니다. 간장을 남김없이 담으려면 병은 적어도 몇 개 필요합니까?

예 풀이 (필요한 병의 수)
=(전체 간장의 양)÷(한 병에 담을 간장의 양)   답 **7개**
=265 ÷ 40=6…25
남은 25mL도 병에 담아야 하므로 병은 적어도 7개 필요합니다.

형성평가

01 곱셈을 하시오.

```
    4 0 0
×     9 0
3 6 0 0 0
```

02 곱셈을 하시오.

(1)
```
    7 6 0
×     2 0
1 5 2 0 0
```

(2)
```
    3 7 4
×     8 0
2 9 9 2 0
```

03 곱셈을 하시오.

(1) 590×40= 2 3 6 0 0

(2) 417×90= 3 7 5 3 0

04 안에 알맞은 수를 써넣으시오.

```
    2 1 4        2 1 4
×     4 3      ×     3
    6 4 2        6 4 2
  8 5 6 0
  9 2 0 2        2 1 4
               ×     4 0
               8 5 6 0
```

05 안에 알맞은 수를 써넣으시오.

(1)
```
      3 7 6
×       8 6
    2 2 5 6
  3 0 0 8 0
  3 2 3 3 6
```

(2)
```
      5 8 4
×       5 9
    5 2 5 6
  2 9 2 0 0
  3 4 4 5 6
```

06 곱셈을 하시오.

(1)
```
    1 9 7
×     3 6
  1 1 8 2
  5 9 1 0
  7 0 9 2
```

(2)
```
      8 3 5
×       6 7
    5 8 4 5
  5 0 1 0 0
  5 5 9 4 5
```

07 빈칸에 알맞은 수를 써넣으시오.

(1)

×		
300	70	21000
620	40	24800

(2)

×		
408	39	15912
925	68	62900

08 안에 알맞은 수를 써넣으시오.

```
80× 8 =640
        8
80)6 4 0
   6 4 0
        0
```

09 나눗셈을 하시오.

```
        4
90)3 6 0
   3 6 0
        0
```

10 계산을 하고 검산해 보시오.

```
        6
30)1 9 7
   1 8 0
      1 7
```
검산 30×6+17=197

11 나눗셈을 하시오.

```
      3
29)8 7
   8 7
      0
```

12 안에 알맞은 수를 써넣으시오.

```
21× 3 <78
78에 가장 가까운 곱

      3
21)7 8
   6 3
   1 5
```

13 계산을 하고 검산해 보시오.

```
      6
15)9 1
   9 0
      1
```
검산 15×6+1=91

14 빈 곳에 알맞은 수를 써넣으시오.

(1) 350 →(÷70)→ 5

(2) 96 →(÷16)→ 6

(3) 240 →(÷48)→ 5

(4) 360 →(÷45)→ 8

(5) 498 →(÷83)→ 6

15 계산을 하고 검산해 보시오.

```
        7
58)4 4 0
   4 0 6
     3 4
```
검산 58×7+34=440

16 빈칸에 알맞은 수를 써넣으시오.

```
      2 3
27)6 2 1
   5 4
     8 1
     8 1
        0
```

[17~18] 나눗셈을 하시오.

17
```
      1 7
53)9 0 1
   5 3
   3 7 1
   3 7 1
        0
```

18
```
        3 5
19)6 7 2
   5 7
   1 0 2
     9 5
        7
```

19 계산을 하고 검산해 보시오.

```
      2 6
34)9 1 7
   6 8
   2 3 7
   2 0 4
     3 3
```
검산 34×26+33=917

20 안에 몫을 써넣고, 안에 나머지를 써넣으시오.

(1)

÷			
196	45	4	16
89	12	7	5

(2)

÷			
258	17	15	3
908	56	16	12

단원 평가 **3. 곱셈과 나눗셈**

걸린 시간 분 점수 점

정답 26쪽

1 ☐ 안에 들어갈 0의 개수를 쓰시오.

500×60=3☐☐☐☐

(4)개

2 계산해 보시오.

(1)
```
   2 7 4
 ×   3 0
 8 2 2 0
```

(2)
```
   7 0 4
 ×   1 8
 5 6 3 2
 7 0 4 0
1 2 6 7 2
```

3 ☐ 안에 알맞은 수를 써넣으시오.

(1) 480 → ÷80 → 6

(2) 630 → ÷70 → 9

4 계산해 보시오.

(1)
```
        4
17) 6 8
    6 8
      0
```

(2)
```
       2 8
34) 9 5 2
    6 8
    2 7 2
    2 7 2
        0
```

5 몫과 나머지를 각각 구하시오.

479÷56

몫 (8)
나머지 (31)

6 계산을 하고 검산해 보시오.

```
       1 4
21) 2 9 9
    2 1
    8 9
    8 4
      5
```

검산 21×14+5=299

7 관계있는 것끼리 선으로 이으시오.

400×60
24000

80×200
16000

600×30
18000

20×900
18000

40×400
16000

300×80
24000

8 잘못 계산한 부분을 찾아 바르게 계산해 보시오.

```
      1 5 9
    ×   5 4
      6 3 6
      7 9 5
    1 4 3 1
```
→
```
      1 5 9
    ×   5 4
      6 3 6
    7 9 5
    8 5 8 6
```

9 곱의 크기를 비교하여 ☐ 안에 >. =. <를 알맞게 써넣으시오.

265×80 > 417×49
21200   20433

10 다음 중 몫이 다른 하나는 어느 것입니까?
(③)

① 480÷60   ② 320÷40
  8   8
③ 180÷20   ④ 720÷90
  9   8
⑤ 560÷70
  8

11 ☐ 안에 몫을 써넣고. ☐ 안에 나머지를 써넣으시오.

(1)
```
       ÷
168  20  8  8
 38
  4
 16
```

(2)
```
       ÷
491  30  16  11
 23
 21
  8
```

12 몫이 두 자리 수인 나눗셈을 모두 찾아 기호를 쓰시오.

㉠ 364÷35   ㉡ 850÷91
㉢ 572÷60   ㉣ 208÷17

(㉠, ㉣)

㉠10 ㉡9 ㉢9 ㉣12

13 가장 큰 수와 가장 작은 수의 곱을 구하시오.

168 74 501 498

(37074)

501×74=37074

14 50원짜리 동전이 480개 있습니다. 돈은 모두 얼마입니까?

(24000)원

50×480=24000(원)

15 나머지가 큰 것부터 차례로 기호를 쓰시오.

㉠ 411÷79=5…16
㉡ 583÷46=12…31
㉢ 372÷50=7…22

㉡-㉢-㉠

16 ☐ 안에 알맞은 수를 써넣으시오.

☐ 150 ÷17=8…14

☐=17×8+14=150

17 곱이 작은 것부터 차례로 기호를 쓰시오.

㉠ 249×34   ㉡ 600×40
㉢ 527×50   ㉣ 935×18

㉠-㉣-㉡-㉢

㉠ 8466   ㉡ 24000
㉢ 26350   ㉣ 16830

18 수영이가 246쪽짜리 만화책을 읽으려고 합니다. 하루에 37쪽씩 읽으면 며칠 안에 모두 읽을 수 있는지 구하시오.

(7)일

246÷37=6…24
적어도 7일 안에 모두 읽을 수 있습니다.

19 리본 1개를 만드는 데 색 테이프 25cm가 필요합니다. 색 테이프 175cm로 리본을 몇 개까지 만들 수 있는지 풀이 과정을 쓰고 답을 구하시오.

풀이 예 (만들 수 있는 리본 수)
=(전체 색 테이프의 길이)÷25
=175÷25=7(개)

답 7개

20 한 권에 420원인 공책 35권을 사고 20000원을 냈습니다. 거스름돈으로 얼마를 받아야 하는지 풀이 과정을 쓰고 답을 구하시오.

풀이 예 (산 공책의 값)
=420×35=14700(원)
(거스름돈)=20000-14700
=5300(원) 답 5300원

01 평면도형 밀기

정답 27쪽

● 도형을 위쪽, 아래쪽, 왼쪽, 오른쪽으로 밀어도 모양은 변하지 않습니다.

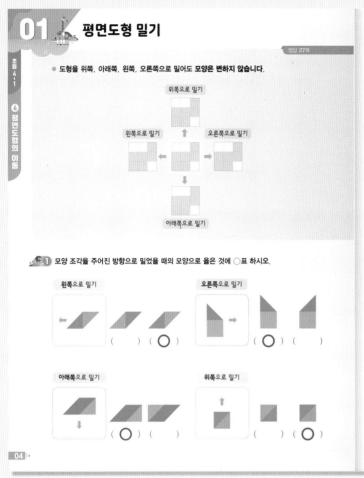

1 모양 조각을 주어진 방향으로 밀었을 때의 모양으로 옳은 것에 ○표 하시오.

2 도형을 주어진 방향으로 밀었을 때의 도형을 그려 보시오.

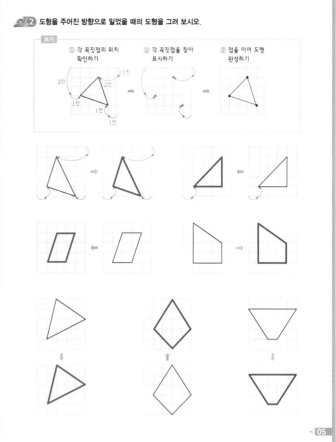

3 도형을 주어진 조건에 맞게 밀었을 때의 도형을 그려 보시오.

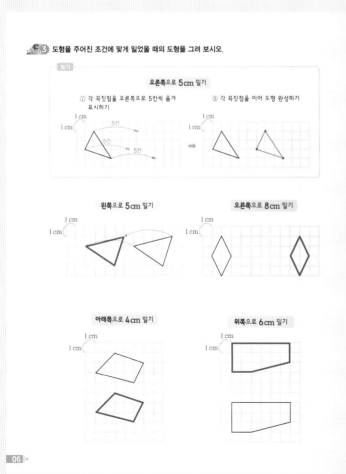

4 주어진 모양으로 밀기를 이용하여 규칙적인 무늬를 만들어 보시오.

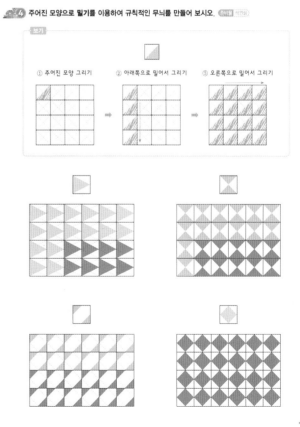

02 평면도형 뒤집기

정답 28쪽

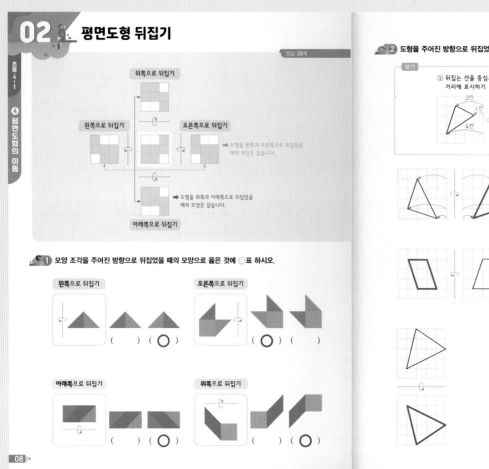

1 모양 조각을 주어진 방향으로 뒤집었을 때의 모양으로 옳은 것에 ◯표 하시오.

2 도형을 주어진 방향으로 뒤집었을 때의 도형을 그려 보시오.

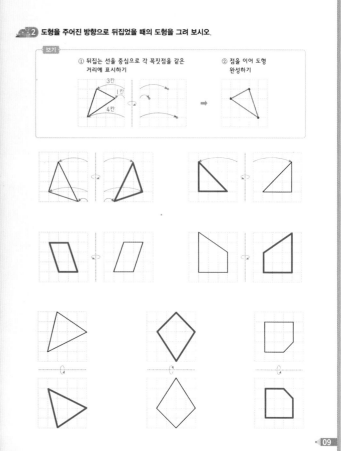

3 도형을 주어진 방향으로 뒤집었을 때의 도형을 각각 그려 보시오.

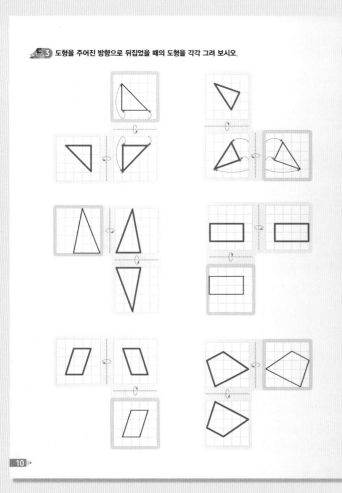

4 주어진 모양으로 **뒤집기**를 이용하여 규칙적인 무늬를 만들어 보시오.

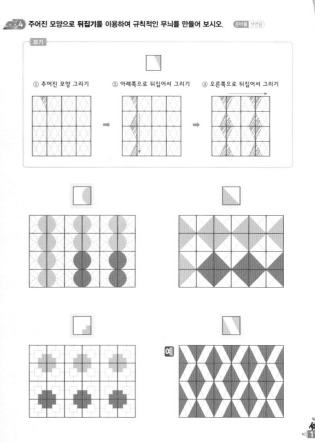

03 평면도형 돌리기

정답 29쪽

● 도형을 여러 방향으로 돌렸을 때의 모양

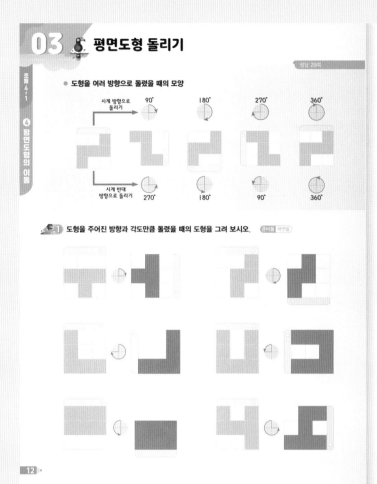

1 도형을 주어진 방향과 각도만큼 돌렸을 때의 도형을 그려 보시오.

2 도형을 주어진 방향과 각도만큼 돌렸을 때의 도형을 그려 보시오.

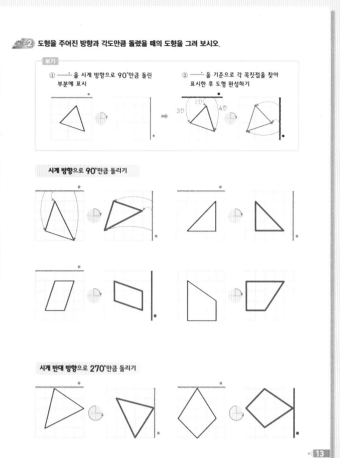

3 도형을 주어진 방향과 각도만큼 돌렸을 때의 도형을 그려 보시오.

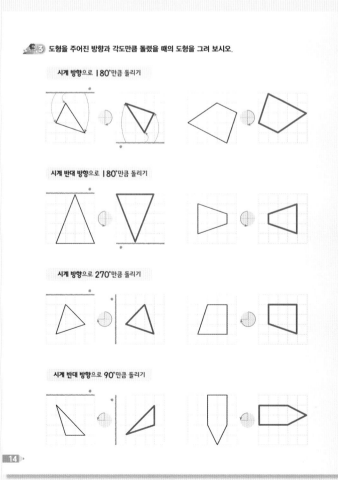

4 주어진 모양으로 돌리기를 이용하여 규칙적인 무늬를 만들어 보시오.

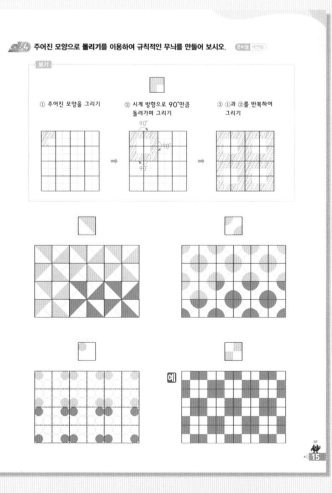

04 평면도형 뒤집고 돌리기

정답 30쪽

● 도형을 오른쪽으로 뒤집은 다음 시계 방향으로 90°만큼 돌렸을 때의 모양

① 주어진 도형의 오른쪽과
　왼쪽이 바뀌게 그리기

② 가운데 도형의 위쪽이
　오른쪽으로 바뀌게 그리기

1 도형을 주어진 방향으로 뒤집은 다음 돌렸을 때의 도형을 각각 그려 보시오. 준비물 색연필

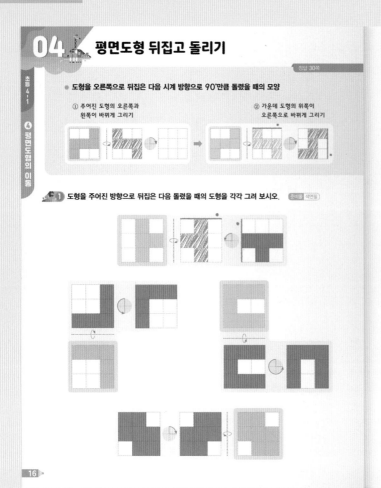

2 도형을 주어진 방향과 각도만큼 돌린 다음 뒤집었을 때의 도형을 각각 그려 보시오. 준비물 색연필

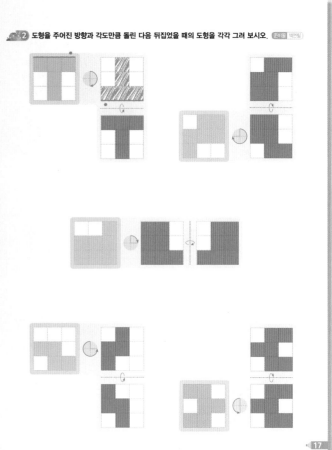

3 도형을 주어진 방향으로 뒤집은 다음 돌렸을 때의 도형을 각각 그려 보시오.

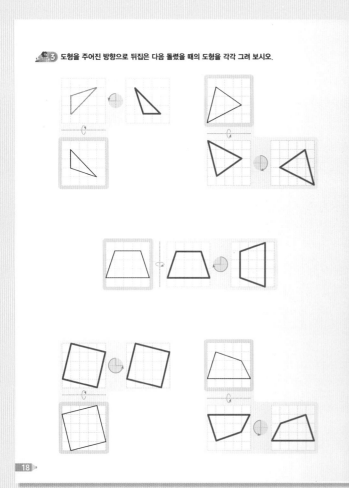

4 도형을 주어진 방향과 각도만큼 돌린 다음 뒤집었을 때의 도형을 각각 그려 보시오.

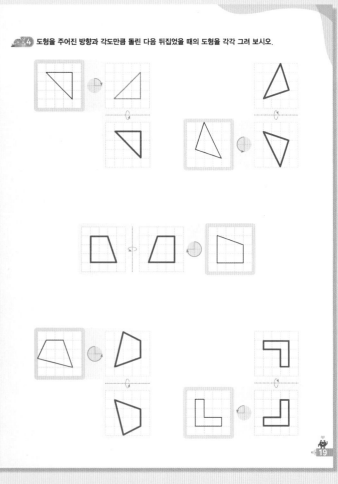

도전! 응용문제

정답 31쪽

한 방향으로 여러 번 뒤집은 도형

도형을 오른쪽으로 4번 뒤집기

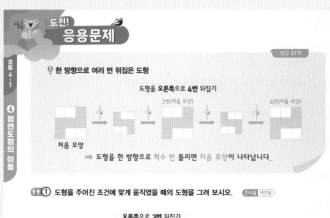

➡️ 도형을 한 방향으로 짝수 번 돌리면 처음 모양이 나타납니다.

응용 ① 도형을 주어진 조건에 맞게 움직였을 때의 도형을 그려 보시오. 준비물 색연필

오른쪽으로 3번 뒤집기

오른쪽으로 4번 뒤집기

오른쪽으로 5번 뒤집기

응용 ② 도형을 주어진 조건에 맞게 움직였을 때의 도형을 그려 보시오.

보기

왼쪽으로 5번 뒤집기
→ 4+1

도형을 왼쪽으로 5번 뒤집는 것은 도형을 왼쪽으로 1번 뒤집는 것과 같음

위쪽으로 2번 뒤집기
→ 짝수 번 (처음 모양)

아래쪽으로 7번 뒤집기
→ 6+1

오른쪽으로 9번 뒤집기

왼쪽으로 8번 뒤집기

아래쪽으로 10번 뒤집기

오른쪽으로 11번 뒤집기

한 방향으로 여러 번 돌린 도형

도형을 시계 방향으로 90°만큼 4번 돌리기

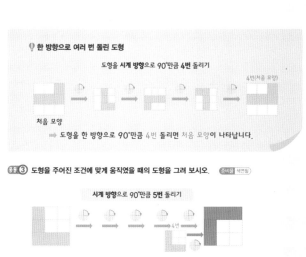

➡️ 도형을 한 방향으로 90°만큼 4번 돌리면 처음 모양이 나타납니다.

응용 ③ 도형을 주어진 조건에 맞게 움직였을 때의 도형을 그려 보시오. 준비물 색연필

시계 방향으로 90°만큼 5번 돌리기

시계 반대 방향으로 90°만큼 6번 돌리기

시계 방향으로 90°만큼 7번 돌리기

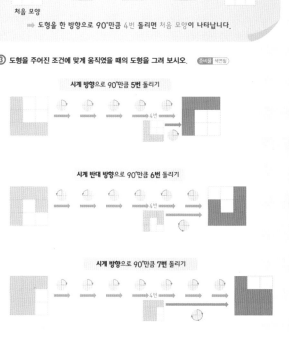

응용 ④ 도형을 주어진 조건에 맞게 움직였을 때의 도형을 그려 보시오.

보기

시계 반대 방향으로 90°만큼 5번 돌리기
→ 4+1

도형을 시계 반대 방향으로 90°만큼 5번 돌린 것은 같은 방향으로 90°만큼 1번 돌린 것과 같음

시계 반대 방향으로 90°만큼 4번 돌리기
→ 처음 모양

시계 방향으로 90°만큼 6번 돌리기
→ 4+2

시계 반대 방향으로 90°만큼 7번 돌리기

시계 방향으로 90°만큼 8번 돌리기

시계 방향으로 90°만큼 9번 돌리기

시계 반대 방향으로 90°만큼 10번 돌리기

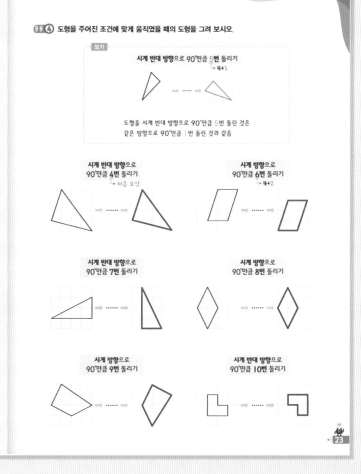

형성평가

걸린 시간: 분 초

정답 32쪽

01 모양 조각을 주어진 방향으로 밀었을 때의 모양으로 옳은 것에 ○표 하시오.

오른쪽으로 밀기

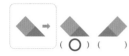

(○) ( )

[02~03] 도형을 주어진 방향으로 밀었을 때의 도형을 그려 보시오.

02

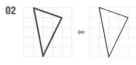

03

04 도형을 주어진 조건에 맞게 밀었을 때의 도형을 그려 보시오.

위쪽으로 6 cm 밀기

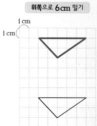

05 주어진 모양으로 밀기를 이용하여 규칙적인 무늬를 만들어 보시오.

06 모양 조각을 주어진 방향으로 뒤집었을 때의 모양으로 옳은 것에 ○표 하시오.

위쪽으로 뒤집기

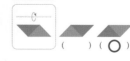

( ) (○)

[07~08] 도형을 주어진 방향으로 뒤집었을 때의 도형을 그려 보시오.

07

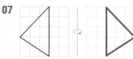

08

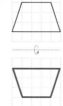

09 도형을 주어진 방향으로 뒤집었을 때의 도형을 각각 그려 보시오.

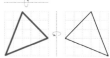

10 주어진 모양으로 뒤집기를 이용하여 규칙적인 무늬를 만들어 보시오.

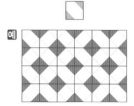

예

24

25

11 도형을 주어진 방향으로 돌렸을 때의 도형을 그려 보시오.

(1)

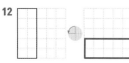

(2)

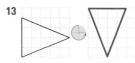

[12~13] 도형을 주어진 방향으로 돌렸을 때의 도형을 그려 보시오.

12

13

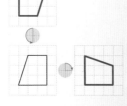

14 도형을 주어진 방향으로 돌렸을 때의 도형을 각각 그려 보시오.

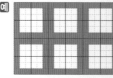

15 주어진 모양으로 돌리기를 이용하여 규칙적인 무늬를 만들어 보시오.

예

16 도형을 왼쪽으로 뒤집은 다음 시계 방향으로 90°만큼 돌렸을 때의 도형을 각각 그려 보시오.

17 도형을 시계 반대 방향으로 180°만큼 돌린 다음 오른쪽으로 뒤집었을 때의 도형을 각각 그려 보시오.

18 도형을 위쪽으로 뒤집은 다음 시계 반대 방향으로 90°만큼 돌렸을 때의 도형을 각각 그려 보시오.

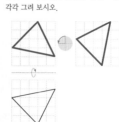

19 도형을 시계 반대 방향으로 270°만큼 돌린 다음 위쪽으로 뒤집었을 때의 도형을 각각 그려 보시오.

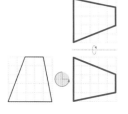

20 도형을 아래쪽으로 뒤집은 다음 시계 방향으로 180°만큼 돌렸을 때의 도형을 각각 그려 보시오.

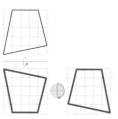

단원 평가   4. 평면도형의 이동

정답 33쪽

1 오른쪽 도형을 아래쪽으로 밀었을 때의 도형으로 알맞은 것을 찾아 기호를 쓰시오.

(㉢)

2 오른쪽 모양 조각을 왼쪽으로 뒤집었을 때의 모양은 어느 것입니까? (③)

3 도형을 왼쪽으로 6cm 밀었을 때의 도형을 그려 보시오.

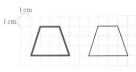

4 도형을 오른쪽으로 뒤집었을 때의 도형을 그려 보시오.

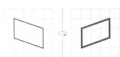

5 오른쪽 도형을 시계 방향으로 180°만큼 돌렸을 때의 도형을 찾아 기호를 쓰시오.

(㉡)

6 도형을 시계 반대 방향으로 90°만큼 돌렸을 때의 도형을 그려 보시오.

7 모양 조각을 보고 알맞은 말에 ○표 하시오.

모양 조각 ㉡을 아래쪽으로
(밀면, 뒤집으면) 모양 조각
㉠이 됩니다.

8 도형을 돌렸을 때의 모양이 같은 것끼리 짝 지은 것을 찾아 기호를 쓰시오.

(㉣)

9 도형을 위쪽과 왼쪽으로 뒤집었을 때의 도형을 각각 그려 보시오.

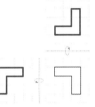

10 왼쪽 도형을 움직였더니 오른쪽 도형이 되었습니다. 움직인 방법으로 옳은 것을 모두 찾아 기호를 쓰시오.

처음 도형   움직인 도형

㉠ 도형을 오른쪽으로 뒤집습니다.
㉡ 도형을 아래쪽으로 뒤집습니다.
㉢ 도형을 시계 방향으로 90°만큼 돌립니다.
㉣ 도형을 시계 반대 방향으로 180° 만큼 돌립니다.

(㉠, ㉡)

---

11 위쪽으로 뒤집었을 때 모양이 변하지 않는 도형을 찾아 기호를 쓰시오.

(㉠)

12 도형을 오른쪽으로 뒤집은 다음 시계 방향으로 180°만큼 돌렸을 때의 도형을 각각 그려 보시오.

13 오른쪽 글자를 돌렸을 때 만들어지는 모양이 아닌 것은 어느 것입니까? (⑤)

①   ②
③   ④
⑤

14 도형을 시계 반대 방향으로 90°만큼 돌린 다음 위쪽으로 뒤집었을 때의 도형을 각각 그려 보시오.

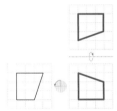

15 주어진 모양으로 뒤집기를 이용하여 규칙적인 무늬를 만들어 보시오.

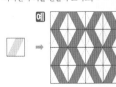

16 어떤 도형을 시계 방향으로 90°만큼 돌린 도형입니다. 처음 도형을 그려 보시오.

처음 도형   움직인 도형

움직인 도형을 시계 반대 방향으로 90°만큼 돌리면 처음 도형이 됩니다.

17 시계 반대 방향으로 180°만큼 돌렸을 때 모양이 변하지 않는 글자는 모두 몇 개입니까?

D H N U S W

(3)개

〈돌린 모양〉
ᗡ H N ∩ S M → 3개

18 도형을 아래쪽으로 7번 뒤집었을 때의 도형을 그려 보시오.

19 주어진 모양으로 돌리기를 이용하여 규칙적인 무늬를 만들어 보시오.

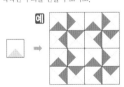

20 숫자 '6'이 '9'가 되도록 돌리는 방법을 설명해 보시오.

처음 모양   움직인 모양

방법 예 '6'을 시계 방향 또는 시계 반대 방향으로 180°만큼 돌리면 '9'가 됩니다.

01 막대그래프 알아보기

정답 34쪽

● 막대그래프: 조사한 자료를 막대 모양으로 나타낸 그래프

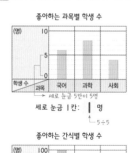

좋아하는 과일별 학생 수 ← 그래프 제목

세로는 조사한 자료 수(학생 수)

눈금 5칸이 10명이므로 눈금 1칸은 10÷5=2(명)

학생 수 ─ 과일 ← 가로는 항목(과일)

1 눈금 한 칸은 얼마를 나타내는지 안에 써넣으시오.

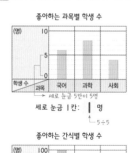

좋아하는 과목별 학생 수

세로 눈금 5칸이 5명

세로 눈금 1칸: **1** 명

5÷5

종류별 책의 수

가로 눈금 5칸이 10권

가로 눈금 1칸: **2** 권

좋아하는 간식별 학생 수

세로 눈금 1칸: **10** 명

배우고 싶은 악기별 학생 수

가로 눈금 1칸: **5** 명

2 막대그래프에서 각각은 무엇을 나타내는지 써 보시오.

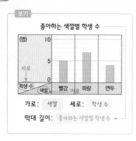

좋아하는 색깔별 학생 수

보기

세로 학생 수 색깔 빨강 파랑 연두

가로: **색깔** 세로: **학생 수**
막대 길이: **좋아하는 색깔별 학생 수**

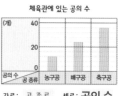

체육관에 있는 공의 수

공의 수 공 종류 농구공 배구공 축구공

가로: **공 종류** 세로: **공의 수**
막대 길이: **체육관에 있는 공의 수**

배출된 종류별 쓰레기양

쓰레기양 종류 플라스틱류 종이류 기타

가로: **종류** 세로: **쓰레기양**
막대 길이: **배출된 종류별 쓰레기양**

좋아하는 운동별 학생 수

수영 축구 줄넘기 운동 학생 수

가로: **학생 수** 세로: **운동**
막대 길이: **좋아하는 운동별 학생 수**

가고 싶은 나라별 학생 수

호주 스위스 미국 나라 학생 수

가로: **학생 수** 세로: **나라**
막대 길이: **가고 싶은 나라별 학생 수**

가지고 있는 공책 수

공책 수 이름 수아 정민 국진

가로: **이름** 세로: **공책 수**
막대 길이: **가지고 있는 공책 수**

3 막대그래프를 보고 안에 알맞은 수를 써넣으시오.

좋아하는 동물별 학생 수

보기

토끼 고양이 강아지 동물 학생 수

가로 눈금 1칸: **1** 명
고양이를 좋아하는 학생 수: **8** 명

좋아하는 과일별 학생 수

학생 수 과일 사과 포도 배

세로 눈금 1칸: **1** 명
사과를 좋아하는 학생 수: **5** 명

혈액형별 학생 수

학생 수 혈액형 A형 B형 O형 AB형

세로 눈금 1칸: **2** 명
O형인 학생 수: **18** 명

한 달 동안 읽은 책의 수

주만 허연 혜영 이름 책의 수

가로 눈금 1칸: **2** 권
주만이가 읽은 책의 수: **12** 권

장래 희망별 학생 수

연예인 운동선수 선생님 의사 장래 희망 학생 수

가로 눈금 1칸: **10** 명
장래 희망이 연예인인 학생 수: **90** 명

기르고 있는 동물 수

동물 수 동물 소 닭 돼지 오리

세로 눈금 1칸: **10** 마리
기르고 있는 오리 수: **70** 마리

4 막대그래프를 보고 안에 알맞게 써넣으시오.

강좌별 수강생 수

수강생 수 강좌 발레 공예 드럼

· 가로: **강좌** 세로: **수강생 수**
· 막대의 길이: **강좌별 수강생 수**
· 세로 눈금 1칸: **1** 명
· 발레를 수강하는 수강생 수: **8** 명

좋아하는 꽃별 학생 수

국화 장미 백합 꽃 학생 수

· 가로: **학생 수** 세로: **꽃**
· 막대의 길이: **좋아하는 꽃별 학생 수**
· 가로 눈금 1칸: **2** 명
· 백합을 좋아하는 학생 수: **16** 명

좋아하는 계절별 학생 수

학생 수 계절 봄 여름 가을 겨울

· 가로: **계절** 세로: **학생 수**
· 막대의 길이: **좋아하는 계절별 학생 수**
· 세로 눈금 1칸: **4** 명
· 여름을 좋아하는 학생 수: **12** 명

반별 모은 재활용 옷의 수

1반 2반 3반 4반 반 옷의 수

· 가로: **옷의 수** 세로: **반**
· 막대의 길이: **반별 모은 재활용 옷의 수**
· 가로 눈금 1칸: **10** 벌
· 3반이 모은 옷의 수: **120** 벌

02 막대그래프의 내용 알아보기

정답 35쪽

초등 4-1
5 막대그래프

※ 자료별 수량의 많고 적음은 **막대의 길이**로 비교합니다.

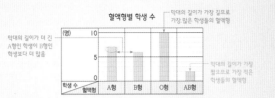

혈액형별 학생 수

막대의 길이가 더 긴 A형인 학생이 B형인 학생보다 더 많음

막대의 길이가 가장 길므로 가장 많은 학생들의 혈액형

막대의 길이가 가장 짧으므로 가장 적은 학생들의 혈액형

1 막대그래프를 보고 설명한 것입니다. 맞는 것에 ○표, 틀린 것에 ×표 하시오.

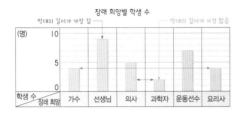

장래 희망별 학생 수

막대의 길이가 가장 김 / 막대의 길이가 가장 짧음

- 세로 눈금 1칸은 1명을 나타냅니다. (○)
- 가장 많은 학생들의 장래 희망은 선생님입니다. (○)
- 가장 적은 학생들의 장래 희망은 ~~의사~~입니다. (×)
  과학자
- 장래 희망이 의사인 학생이 장래 희망이 과학자인 학생보다 더 ~~적습니다~~. (×)
  많습니다.
- 장래 희망이 요리사인 학생과 장래 희망이 가수인 학생의 수는 같습니다. (○)

08

2 막대그래프를 보고 ⬚ 안에 알맞게 써넣으시오.

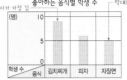

좋아하는 음식별 학생 수

막대의 길이가 가장 김 / 막대의 길이가 가장 짧음

- 가장 많은 학생들이 좋아하는 음식
  ➡ 김치찌개
- 가장 적은 학생들이 좋아하는 음식
  ➡ 자장면

동물원의 동물 수

- 가장 많은 동물 ➡ 원숭이
- 가장 적은 동물 ➡ 곰

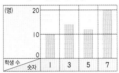

좋아하는 숫자별 학생 수

- 가장 많은 학생들이 좋아하는 숫자
  ➡ 7
- 가장 적은 학생들이 좋아하는 숫자
  ➡ 1

마을별 심은 나무 수

- 나무를 가장 많이 심은 마을
  ➡ 승리 마을
- 나무를 가장 적게 심은 마을
  ➡ 진주 마을

09

3 막대그래프를 보고 ⬚ 안에 알맞은 수를 써넣으시오.

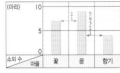

마을별 기르는 소의 수

- 꿈 마을에서 기르는 소의 수는 꽃 마을에서 기르는 소의 수보다 2 마리 더 많습니다.
- 향기 마을에서 기르는 소의 수는 꿈 마을에서 기르는 소의 수보다 5 마리 더 적습니다.

좋아하는 채소별 학생 수

- 당근을 좋아하는 학생은 파프리카를 좋아하는 학생보다 6 명 더 많습니다.
- 파프리카를 좋아하는 학생은 오이를 좋아하는 학생보다 4 명 더 적습니다.

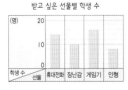

받고 싶은 선물별 학생 수

- 휴대전화를 받고 싶은 학생은 장난감을 받고 싶은 학생보다 4 명 더 많습니다.
- 인형을 받고 싶은 학생은 게임기를 받고 싶은 학생보다 8 명 더 적습니다.

좋아하는 주스별 학생 수

- 오렌지 주스를 좋아하는 학생은 매실 주스를 좋아하는 학생보다 20 명 더 많습니다.
- 사과 주스를 좋아하는 학생은 포도 주스를 좋아하는 학생보다 40 명 더 적습니다.

10

4 표와 막대그래프를 보고 ⬚ 안에 알맞게 써넣고, 더 편리한 방법에 ○표 하시오.

가고 싶어 하는 수학여행 장소별 학생 수

장소	제주도	경주	강원도	부산	부여	합계
학생 수(명)	56	40	20	28	16	160

(막대그래프)

알 수 있는 사실	편리한 방법

- 가고 싶은 장소가 경주인 학생은 40 명입니다. ➡ ((표), 막대그래프)
- 가장 많은 학생들이 가고 싶은 장소는 제주도입니다. ➡ (표, (막대그래프))
- 가고 싶은 장소가 강원도인 학생은 부산인 학생보다 8 명 더 적습니다. ➡ ((표), 막대그래프)
- 가장 적은 학생들이 가고 싶은 장소는 부여 입니다. ➡ (표, (막대그래프))
- 조사에 참여한 학생은 모두 160 명입니다. ➡ ((표), 막대그래프)

11

03 막대그래프 그리기

정답 36쪽

● 표를 막대그래프로 나타내기

제목 붙이기

혈액형별 학생 수

가로 →

혈액형	A형	B형	AB형	O형	합계
세로 → 학생 수(명)	6	4	2	8	20

학생 수만큼 막대 그리기　　혈액형별 학생 수

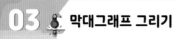

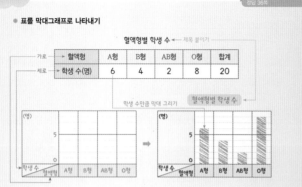

① 표를 보고 막대그래프로 나타내시오.

좋아하는 취미 활동별 학생 수

취미 활동	운동	노래	게임	합계
학생 수(명)	4	9	8	21

종류별 필기도구 수

종류	연필	볼펜	사인펜	형광펜	합계
필기도구 수(자루)	10	6	3	4	23

좋아하는 취미 활동별 학생 수

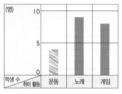

종류별 필기도구 수

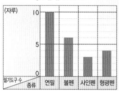

② 주어진 자료를 보고 표와 막대그래프를 완성하시오.

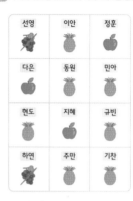

좋아하는 과일별 학생 수

과일	포도	파인애플	사과	합계
학생 수(명)	2	7	3	12

좋아하는 과일별 학생 수

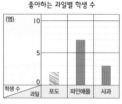

좋아하는 꽃별 학생 수

꽃	튤립	장미	무궁화	국화	합계
학생 수(명)	9	4	2	5	20

좋아하는 꽃별 학생 수

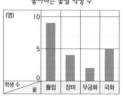

③ 주어진 자료를 보고 표와 막대그래프를 완성하시오.

좋아하는 과일 맛 음료별 학생 수

음료	바나나 맛	딸기 맛	사과 맛	합계
학생 수(명)	3	3	6	12

좋아하는 과일 맛 음료별 학생 수

좋아하는 계절별 학생 수

계절	봄	여름	가을	겨울	합계
학생 수(명)	8	2	4	6	20

좋아하는 계절별 학생 수

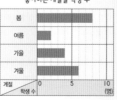

④ 빈칸에 알맞은 수나 말을 써넣고 표와 막대그래프를 완성하시오.

가고 싶어 하는 장소별 학생 수

장소	놀이동산	바다	영화관	박물관	합계
학생 수(명)	9	6	8	3	26

예　**가고 싶어 하는 장소별 학생 수**

좋아하는 간식별 학생 수

간식	떡볶이	핫도그	샌드위치	김밥	합계
학생 수(명)	4	11	8	4	27

예　**좋아하는 간식별 학생 수**

04 막대그래프로 이야기 만들어 보기

정답 37쪽

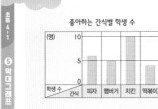

좋아하는 간식별 학생 수

- 햄버거를 좋아하는 학생은 5명입니다.
- 떡볶이를 좋아하는 학생은 5명보다 적습니다.
- 피자를 좋아하는 학생은 떡볶이를 좋아하는 학생보다 2명 더 많습니다.
- 간식을 한 종류만 산다면 치킨을 사는 것이 좋겠습니다. → 치킨을 가장 많은 학생들이 좋아하므로

1 주어진 그래프에 대한 설명으로 알맞은 것을 모두 찾아 ○표 하시오.

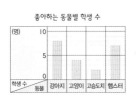

좋아하는 동물별 학생 수

- 고양이를 좋아하는 학생은 5명보다 많습니다.
- (햄스터를 좋아하는 학생은 두 번째로 많습니다.)
- (고슴도치를 좋아하는 학생은 2명입니다.)
- 강아지를 좋아하는 학생은 고양이를 좋아하는 학생보다 5명 더 많습니다.

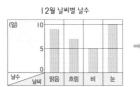

12월 날씨별 날수

- 이달의 맑은 날은 8일입니다.
- 이달의 흐린 날은 비 온 날보다 3일 더 많습니다.
- (이달의 눈 온 날 수는 비 온 날수의 2배입니다.)
- (이달은 눈 온 날이 가장 많습니다.)

2 막대그래프에 대한 설명을 읽고, 안에 알맞은 이름을 써넣으시오.

지효네 반
겨울을 좋아하는 학생은 가을을 좋아하는 학생보다 1명 더 적습니다. 봄을 좋아하는 학생은 5명보다 많습니다.

현희네 반
가장 적은 학생들이 좋아하는 계절은 가을입니다. 여름과 겨울을 좋아하는 학생은 6명으로 같습니다.

석호네 반
여름을 좋아하는 학생은 두 번째로 많습니다. 가을을 좋아하는 학생은 5명보다 적습니다.

인화네 반
봄을 좋아하는 학생은 여름을 좋아하는 학생보다 2명 더 많습니다. 가을을 좋아하는 학생은 9명입니다.

현희 네 반
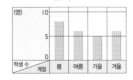

인화 네 반
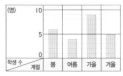

석호 네 반
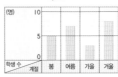

지효 네 반
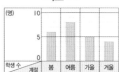

3 막대그래프를 보고 안에 알맞은 말을 써넣으시오.

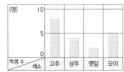
키우고 싶은 채소별 학생 수

- 가장 많은 학생들이 키우고 싶은 채소: **고추**
- 가장 적은 학생들이 키우고 싶은 채소: **깻잎**
- 텃밭에서 채소를 키운다면 **고추** 을/를 키우는 게 좋을 것 같습니다.

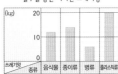
일주일 동안 버려진 쓰레기양

- 가장 많이 버려진 쓰레기: **플라스틱류**
- 가장 적게 버려진 쓰레기: **병류**
- 줄이도록 노력해야 하는 쓰레기의 종류는 **플라스틱류** 입니다.

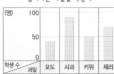
좋아하는 과일별 학생 수

- 가장 많은 학생들이 좋아하는 과일: **사과**
- 가장 적은 학생들이 좋아하는 과일: **포도**
- 학생들에게 줄 과일을 한 가지 준비한다면 **사과** 를 준비하는 게 좋을 것 같습니다.

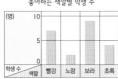
좋아하는 색깔별 학생 수

- 가장 많은 학생들이 좋아하는 색깔: **보라**
- 가장 적은 학생들이 좋아하는 색깔: **노랑**
- 반 모자를 산다면 **보라**색 모자를 사는 게 좋을 것 같습니다.

4 민주네 반 학생들이 가고 싶은 체험 학습 장소를 조사한 자료입니다. 빈칸에 알맞게 써넣고 막대그래프를 완성하시오.

예 가고 싶은 체험 학습 장소별 학생 수

장소	미술관	수족관	놀이공원	목장	박물관	합계
학생 수(명)	3	6	8	2	5	24

가고 싶은 체험 학습 장소별 학생 수

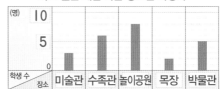

- 수족관에 가고 싶은 학생은 목장에 가고 싶은 학생보다 **4** 명 더 많습니다.
- 많은 학생들이 가고 싶은 장소부터 차례로 쓰면 **놀이공원, 수족관, 박물관, 미술관, 목장** 입니다.
- 민주네 반의 체험 학습은 **놀이공원** 으로 가는 것이 좋을 것 같습니다.

도전! 응용문제

정답 38쪽

표와 막대그래프 완성하기

학교에서 기르는 종류별 나무 수

종류	소나무	은행나무	단풍나무	합계
나무 수 (그루)	3	7	5	15

① 막대그래프를 보고 소나무의 수 구하기
② (소나무)+(은행나무)+(단풍나무)=15, (단풍나무)=5

학교에서 기르는 종류별 나무 수

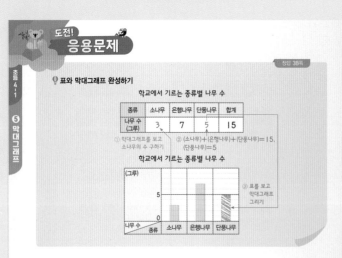

③ 표를 보고 막대그래프 그리기

응용 ① 표와 막대그래프를 완성하시오.

월별 독서량

월	9월	10월	11월	합계
독서량 (권)	5	7	9	21

좋아하는 민속놀이별 학생 수

민속놀이	연날리기	윷놀이	팽이치기	합계
학생 수 (명)	9	6	4	19

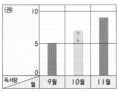

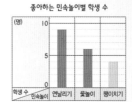

응용 ② 표와 막대그래프를 완성하시오.

가고 싶어 하는 산별 학생 수

산	지리산	설악산	백두산	한라산	합계
학생 수 (명)	8	10	3	4	25

마을별 나무 수

마을	사랑	행복	꿈	평화	합계
나무 수 (그루)	100	160	240	140	640

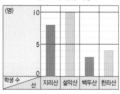

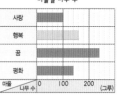

종류별 동전 수

종류	10원	50원	100원	500원	합계
동전 수 (개)	6	8	18	12	44

줄넘기 기록

이름	정민	석진	유정	민영	합계
기록 (번)	330	150	300	180	960

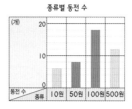

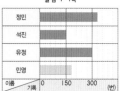

두 가지 항목을 나타낸 막대그래프

좋아하는 취미 활동별 학생 수

- 남학생 수와 여학생 수의 차가 가장 작은 취미 활동: 독서
  막대의 길이 차가 가장 짧은 것
- 전체 여학생 수:
  7+4+5+6=22(명)
  여학생 막대의 수를 모두 더함

남학생 여학생

응용 ③ 막대그래프를 보고 안에 알맞은 수나 말을 써넣으시오.

농장별 기르는 소의 수

수소 암소

- 수소와 암소의 차가 가장 큰 마을: 달빛 마을
- 수소와 암소의 차가 가장 작은 마을: 별빛 마을
- 세 마을의 전체 암소의 수: 18 마리
  5+7+6

전학 온 학생 수와 전학 간 학생 수

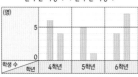

전학 온 학생 전학 간 학생

- 전학 온 학생 수와 전학 간 학생 수의 차가 가장 큰 학년: 5 학년
- 전학 온 학생 수와 전학 간 학생 수의 차가 가장 작은 학년: 4 학년
- 세 학년의 전학 온 전체 학생 수: 15 명
  6+5+4

응용 ④ 막대그래프를 보고 안에 알맞은 수나 말을 써넣으시오.

반별 달리기 대회에 참가한 학생 수

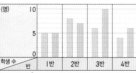

남학생 여학생

- 참가한 남학생 수와 여학생 수의 차가 가장 큰 반: 3 반
- 참가한 남학생 수와 여학생 수의 차가 가장 작은 반: 1 반
- 달리기 대회에 참가한 전체 남학생 수: 23 명
  5+8+6+4

하루 동안 태어난 신생아 수

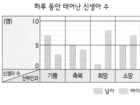

남아 여아

- 남아가 가장 많이 태어난 산부인과: 기쁨 산부인과
- 태어난 남아 수와 여아 수의 차가 가장 작은 산부인과: 축복 산부인과
- 소망 산부인과에서 태어난 전체 신생아 수: 12 명
  5+7

캠프에 참가한 학생 수

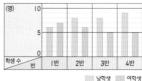

남학생 여학생

- 캠프에 참가한 학생 중 여학생이 더 많은 반: 1 반
- 캠프에 참가한 남학생 수와 여학생 수의 차가 가장 큰 반: 4 반
- 캠프에 참가한 전체 남학생 수: 31 명
  6+8+8+9
- 캠프에 참가한 전체 학생 수: 54 명
  31+7+6+5+5

초등
4·1

⑤
막
대
그
래
프

[01~03] 정민이네 반 학생들이 좋아하는 과목을 조사하여 나타낸 막대그래프입니다. 물음에 답하시오.

좋아하는 과목별 학생 수

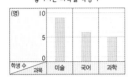

01 눈금 한 칸은 몇 명을 나타냅니까?

(**1**)명

02 막대그래프에서 가로와 세로는 각각 무엇을 나타냅니까?

가로 (**과목**)
세로 (**학생 수**)

03 막대의 길이는 무엇을 나타냅니까?

(**좋아하는 과목별 학생 수**)

[04~05] 태연이네 반 학생들이 좋아하는 체육 활동을 조사하여 나타낸 막대그래프입니다. 물음에 답하시오.

좋아하는 체육 활동별 학생 수

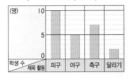

04 안에 알맞게 써넣으시오.

· 가로: **체육 활동** 세로: **학생 수**
· 막대의 길이: **좋아하는 체육 활동별 학생 수**
· 세로 눈금 1칸: **1** 명
· 야구를 좋아하는 학생 수: **5** 명

05 피구를 좋아하는 학생 수는 몇 명입니까?

(**10**)명

[06~08] 영지네 반 학생들이 좋아하는 계절을 조사하여 나타낸 막대그래프입니다. 물음에 답하시오.

좋아하는 계절별 학생 수

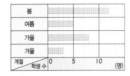

06 막대그래프를 보고 설명한 것 중 맞는 것에 ○표 하시오.

· 봄을 좋아하는 학생 수는 겨울을 좋아하는 학생 수의 ~~3~~4배입니다. (   )
· 여름을 좋아하는 학생이 겨울을 좋아하는 학생보다 더 많습니다. (○)

07 가장 많은 학생들이 좋아하는 계절은 무엇입니까?

(**봄**)

08 가장 적은 학생들이 좋아하는 계절은 무엇입니까?

(**겨울**)

[09~11] 진수네 모둠의 줄넘기 기록을 나타낸 표와 막대그래프입니다. 물음에 답하시오.

줄넘기 기록

이름	진수	유진	덕희	영성
기록(번)	140	100	180	60

줄넘기 기록

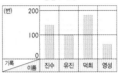

09 유진이의 줄넘기 기록은 덕희의 줄넘기 기록보다 몇 번 더 적습니까?

(**80**)번

180-100=80(번)

10 줄넘기를 가장 많이 한 학생의 이름을 쓰시오.

(**덕희**)

11 진수의 줄넘기 기록을 알아보려면 표와 막대그래프 중 어느 자료가 더 편리합니까?

(**표**)

24 · ·25

[12~13] 표를 보고 막대그래프로 나타내시오.

12 사는 마을별 학생 수

마을	향기	가람	산내	합계
학생 수(명)	6	8	4	18

사는 마을별 학생 수

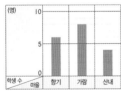

13 좋아하는 동물별 학생 수

동물	기린	사자	판다	하마	합계
학생 수(명)	4	7	10	3	24

좋아하는 동물별 학생 수

[14~15] 주리네 반 학생들이 심고 싶어 하는 작물을 조사한 자료입니다. 물음에 답하시오.

14 조사한 자료를 보고 표를 완성하시오.

심고 싶어 하는 작물별 학생 수

작물	토마토	배추	당근	가지	합계
학생 수(명)	5	2	6	3	16

15 14의 표를 보고 막대그래프로 나타내시오.

심고 싶어 하는 작물별 학생 수

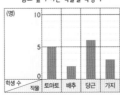

[16~17] 주어진 그래프에 대한 설명으로 알맞은 것을 찾아 기호를 쓰시오.

16 좋아하는 나라별 학생 수

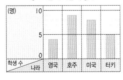

㉠ 호주를 좋아하는 학생은 10명보다 많습니다.
㉡ 미국을 좋아하는 학생은 두 번째로 많습니다.

(㉡)

17 마을의 자전거 수

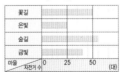

㉠ 숲길 마을의 자전거가 가장 많습니다.
㉡ 꽃길 마을 자전거가 은빛 마을 자전거보다 5대 더 많습니다.

(㉠)

[18~20] 희정이네 반 학생들이 좋아하는 과일을 조사하여 나타낸 막대그래프입니다. 물음에 답하시오.

좋아하는 과일별 학생 수

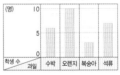

18 많은 학생들이 좋아하는 과일부터 차례로 쓰시오.

오렌지 - 석류 - 수박 - 복숭아

19 석류를 좋아하는 학생은 복숭아를 좋아하는 학생보다 몇 명 더 많습니까?

(**4**)명

7-3=4(명)

20 희정이네 반에서 과일을 준비한다면 무엇을 준비하는 게 좋겠습니까?

(**오렌지**)

26 · ·27

단원 평가   5. 막대그래프

정답 40쪽

[1~3] 연우네 반 학생들의 배우고 싶어 하는 악기를 조사하여 나타낸 그래프입니다. 물음에 답하시오.

배우고 싶어 하는 악기별 학생 수

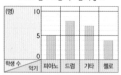

1 위와 같이 조사한 수를 막대 모양으로 나타낸 그래프를 무엇이라고 합니까?

(**막대그래프**)

2 그래프에서 가로와 세로는 각각 무엇을 나타냅니까?

가로 (**악기**)
세로 (**학생 수**)

3 배우고 싶어 하는 악기가 피아노인 학생은 몇 명입니까?

(**5**)명

[4~5] 하연이네 반 학생들이 현장 체험 학습으로 가고 싶어 하는 장소를 조사하여 나타낸 표입니다. 물음에 답하시오.

가고 싶어 하는 장소별 학생 수

장소	놀이공원	수영장	과학관	미술관	합계
학생 수(명)	9	6	2	4	21

4 표를 보고 막대그래프로 나타내시오.

가고 싶어 하는 장소별 학생 수

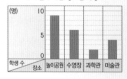

5 가장 많은 학생들이 가고 싶어 하는 장소를 알아보려면 표와 막대그래프 중 어느 자료가 더 편리합니까?

(**막대그래프**)

[6~8] 지민이네 반 학생들이 좋아하는 간식을 조사한 것입니다. 물음에 답하시오.

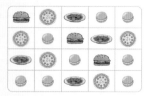

6 조사한 것을 보고 표를 완성하시오.

좋아하는 간식별 학생 수

간식	햄버거	피자	떡볶이	마카롱	합계
학생 수(명)	3	5	4	8	20

7 6의 표를 보고 막대그래프로 나타내시오.

좋아하는 간식별 학생 수

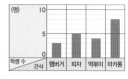

8 지민이네 반 학생들을 위하여 간식을 한 가지 준비한다면 무엇을 준비하는 게 좋겠습니까?

(**마카롱**)

[9~11] 유정이네 반 학급 도서를 조사하여 나타낸 막대그래프입니다. 물음에 답하시오.

종류별 책의 수

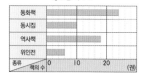

9 그래프에서 가로와 세로는 각각 무엇을 나타냅니까?

가로 (**책의 수**)
세로 (**종류**)

10 가로 눈금 한 칸은 몇 권을 나타냅니까?

(**2**)권

11 동화책 수는 위인전 수의 몇 배입니까?

(**4**)배

12÷3=4(배)

[12~14] 민영이네 반 학생들이 배우고 싶어 하는 운동을 조사하여 나타낸 막대그래프입니다. 물음에 답하시오.

배우고 싶어 하는 운동별 학생 수

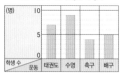

12 막대의 길이는 무엇을 나타냅니까?

배우고 싶어 하는 운동별 학생 수

13 수영을 배우고 싶어 하는 학생은 배구를 배우고 싶어 하는 학생보다 몇 명 더 많습니까?

(**4**)명

9-5=4(명)

14 배우고 싶어 하는 운동별 학생 수가 적은 순서대로 운동을 쓰시오.

축구 - 배구 - 태권도 - 수영

[15~16] 정국이네 농장에서 기르고 있는 동물 수를 조사하여 나타낸 표와 막대그래프입니다. 물음에 답하시오.

기르고 있는 동물 수

동물	소	돼지	오리	닭	합계
동물 수(마리)	4	8	16	12	40

기르고 있는 동물 수

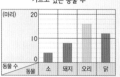

15 표와 막대그래프를 완성하시오.

16 위 막대그래프를 보고 알 수 있는 사실을 잘못 나타낸 것을 찾아 기호를 쓰시오.

㉠ 세로 눈금 한 칸은 2마리를 나타냅니다.

㉡ 농장에서 가장 많은 동물은 오리입니다.

㉢ 농장의 오리의 수는 소의 수의 4배입니다.

(㉢)

[17~18] 네 마을에 살고 있는 4학년 학생 수를 조사하여 나타낸 막대그래프입니다. 물음에 답하시오.

마을별 4학년 학생 수

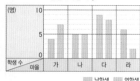

■ 남학생 ■ 여학생

17 마을에 살고 있는 4학년 남학생 수와 여학생 수의 차가 가장 큰 마을은 어느 마을입니까?

(**라**)마을

18 네 마을에 살고 있는 4학년 전체 여학생 수는 몇 명인지 풀이 과정을 쓰고 답을 구하시오.

풀이 **예** 가: 7명, 나: 5명, 다: 8명, 라: 2명
→ 7+5+8+2=22(명)

답 **22명**

[19~20] 준호네 반 25명의 학생들이 좋아하는 TV 프로그램을 조사하여 나타낸 막대그래프입니다. 물음에 답하시오.

좋아하는 TV 프로그램별 학생 수

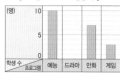

19 드라마를 좋아하는 학생은 몇 명입니까?

(**5**)명

25-10-7-3=5(명)

20 가장 많은 학생들이 좋아하는 프로그램과 가장 적은 학생들이 좋아하는 프로그램의 학생 수의 차는 몇 명인지 풀이 과정을 쓰고 답을 구하시오.

예 풀이 (예능을 좋아하는 학생 수)
-(게임을 좋아하는 학생 수)
=10-3=7(명)

답 **7명**

01 수의 배열에서 규칙 찾기

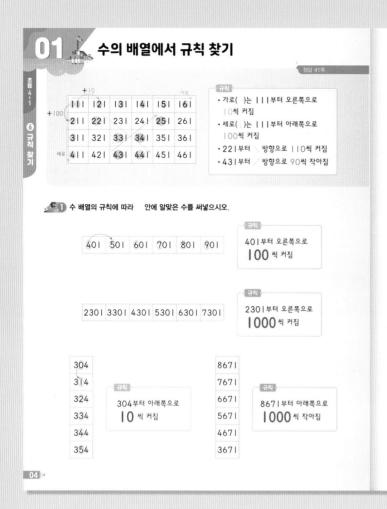

규칙
- 가로( )는 111부터 오른쪽으로 10씩 커짐
- 세로( )는 111부터 아래쪽으로 100씩 커짐
- 221부터 ↘방향으로 110씩 커짐
- 431부터 ↗방향으로 90씩 작아짐

1 수 배열의 규칙에 따라 □안에 알맞은 수를 써넣으시오.

| 401 | 501 | 601 | 701 | 801 | 901 |

규칙
401부터 오른쪽으로 100씩 커짐

| 2301 | 3301 | 4301 | 5301 | 6301 | 7301 |

규칙
2301부터 오른쪽으로 1000씩 커짐

304 / 314 / 324 / 334 / 344 / 354

규칙
304부터 아래쪽으로 10씩 커짐

8671 / 7671 / 6671 / 5671 / 4671 / 3671

규칙
8671부터 아래쪽으로 1000씩 작아짐

2 수 배열표의 규칙에 따라 □안에 알맞은 수를 써넣으시오.

규칙
- 1002부터 오른쪽으로 100씩 커짐
- 1032부터 오른쪽으로 100씩 커짐

규칙
- 3021부터 아래쪽으로 1씩 작아짐
- 6021부터 아래쪽으로 1씩 작아짐

규칙
- 811부터 ↘방향으로 90씩 작아짐
- 831부터 ↘방향으로 90씩 작아짐

규칙
- 397부터 ↗방향으로 101씩 커짐
- 597부터 ↗방향으로 101씩 커짐

규칙
- 5000부터 ↙방향으로 99씩 작아짐
- 5002부터 ↙방향으로 99씩 작아짐

규칙
- 3071부터 ↖방향으로 1010씩 커짐
- 5071부터 ↖방향으로 1010씩 커짐

3 수 배열표의 규칙에 따라 □안에 알맞은 수를 써넣으시오.

규칙
오른쪽으로 1씩 커지고, 아래쪽으로 100씩 커짐

규칙
오른쪽으로 100씩 커지고, 아래쪽으로 10씩 커짐

규칙
오른쪽으로 1000씩 커지고, 아래쪽으로 1씩 작아짐

규칙
오른쪽으로 1000씩 작아지고, 아래쪽으로 10씩 커짐

규칙
오른쪽으로 1000씩 작아지고, 아래쪽으로 100씩 작아짐

규칙
오른쪽으로 1씩 작아지고, 아래쪽으로 10씩 작아짐

4 규칙적인 수의 배열에서 빈칸에 알맞은 수를 써넣으시오.

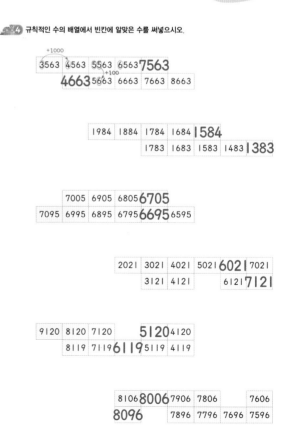

02 도형의 배열에서 규칙 찾기

정답 42쪽

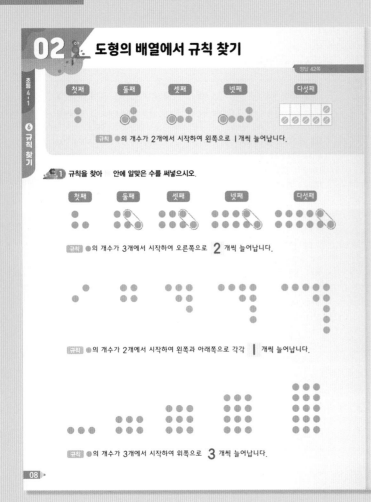

| 첫째 | 둘째 | 셋째 | 넷째 | 다섯째 |

규칙 ●의 개수가 2개에서 시작하여 왼쪽으로 I개씩 늘어납니다.

1 규칙을 찾아 ☐ 안에 알맞은 수를 써넣으시오.

| 첫째 | 둘째 | 셋째 | 넷째 | 다섯째 |

규칙 ●의 개수가 3개에서 시작하여 오른쪽으로 **2** 개씩 늘어납니다.

규칙 ●의 개수가 2개에서 시작하여 왼쪽과 아래쪽으로 각각 **I** 개씩 늘어납니다.

규칙 ●의 개수가 3개에서 시작하여 위쪽으로 **3** 개씩 늘어납니다.

08

2 규칙에 따라 다섯째에 알맞은 도형을 그려 보시오.

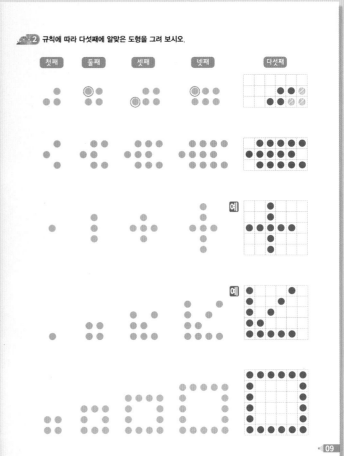

| 첫째 | 둘째 | 셋째 | 넷째 | 다섯째 |

예

예

09

3 규칙에 따라 다섯째에 놓일 도형의 개수를 구하시오.

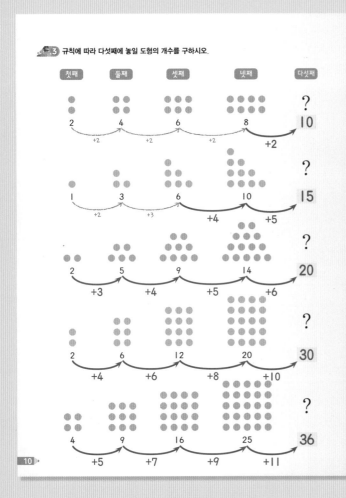

| 첫째 | 둘째 | 셋째 | 넷째 | 다섯째 |

2 → 4 → 6 → 8 → ? = 10
+2 +2 +2 +2

I → 3 → 6 → 10 → ? = 15
+2 +3 +4 +5

2 → 5 → 9 → 14 → ? = 20
+3 +4 +5 +6

2 → 6 → 12 → 20 → ? = 30
+4 +6 +8 +10

4 → 9 → 16 → 25 → ? = 36
+5 +7 +9 +11

10

4 규칙에 따라 다섯째에 놓일 흰색 바둑돌의 개수를 구하시오.

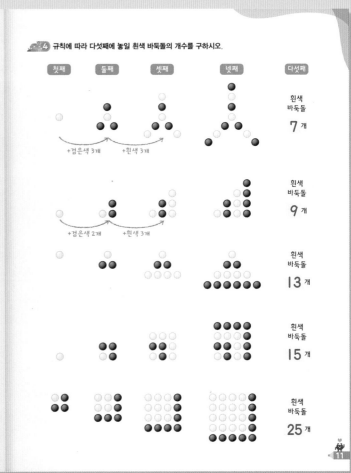

| 첫째 | 둘째 | 셋째 | 넷째 | 다섯째 |

흰색 바둑돌 **7** 개
+검은색 3개 +흰색 3개

흰색 바둑돌 **9** 개
+검은색 2개 +흰색 3개

흰색 바둑돌 **13** 개

흰색 바둑돌 **15** 개

흰색 바둑돌 **25** 개

11

03 이중 패턴에서 규칙 찾기

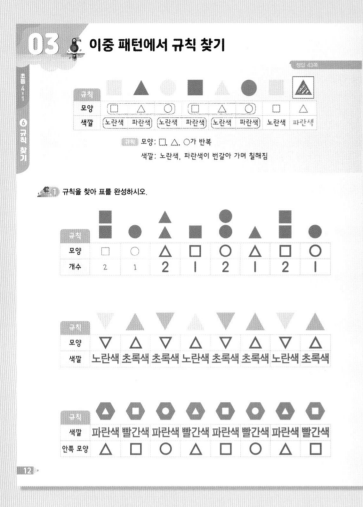

규칙을 찾아 표를 완성하시오.

규칙을 찾아 안에 들어갈 그림으로 알맞은 것에 ○표 하시오.

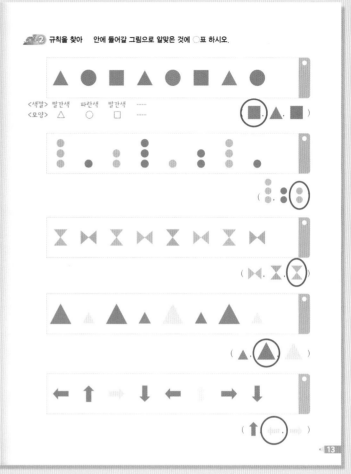

13

규칙을 찾아 마지막 그림을 완성하시오.

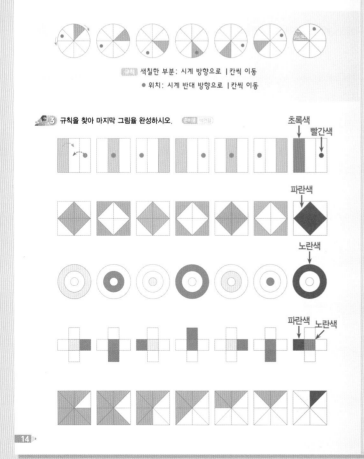

규칙을 찾아 빈 곳에 알맞은 그림을 찾아 ○표 하시오.

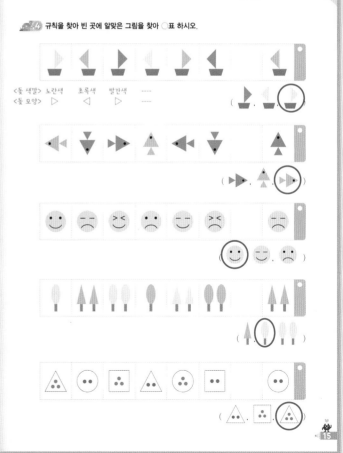

04　계산식에서 규칙 찾기

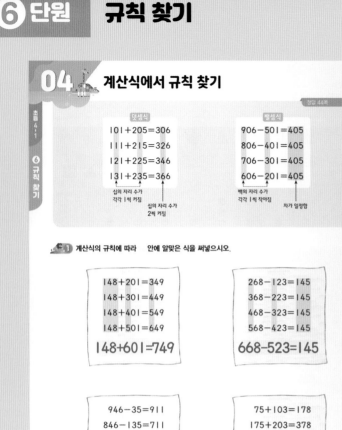

덧셈식

$101+205=306$
$111+215=326$
$121+225=346$
$131+235=366$

십의 자리 수가 각각 1씩 커짐　　십의 자리 수가 2씩 커짐

뺄셈식

$906-501=405$
$806-401=405$
$706-301=405$
$606-201=405$

백의 자리 수가 각각 1씩 작아짐　　차가 일정함

1 계산식의 규칙에 따라 　 안에 알맞은 식을 써넣으시오.

$148+201=349$
$148+301=449$
$148+401=549$
$148+501=649$
$148+601=749$

$268-123=145$
$368-223=145$
$468-323=145$
$568-423=145$
$668-523=145$

$946-35=911$
$846-135=711$
$746-235=511$
$646-335=311$
$546-435=111$

$75+103=178$
$175+203=378$
$275+303=578$
$375+403=778$
$475+503=978$

2 계산식의 규칙에 따라 　 안에 알맞은 식을 써넣으시오.

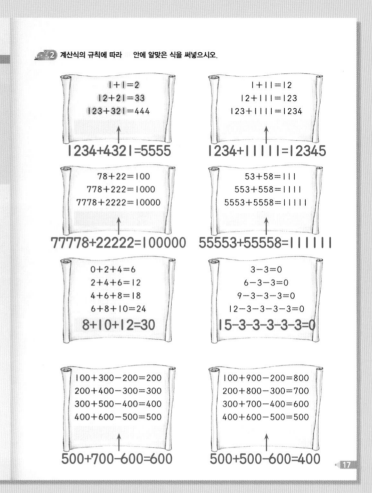

$1+1=2$
$12+21=33$
$123+321=444$
$1234+4321=5555$

$1+11=12$
$12+111=123$
$123+1111=1234$
$1234+11111=12345$

$78+22=100$
$778+222=1000$
$7778+2222=10000$
$77778+22222=100000$

$53+58=111$
$553+558=1111$
$5553+5558=11111$
$55553+55558=111111$

$0+2+4=6$
$2+4+6=12$
$4+6+8=18$
$6+8+10=24$
$8+10+12=30$

$3-3=0$
$6-3-3=0$
$9-3-3-3=0$
$12-3-3-3-3=0$
$15-3-3-3-3-3=0$

$100+300-200=200$
$200+400-300=300$
$300+500-400=400$
$400+600-500=500$
$500+700-600=600$

$100+900-200=800$
$200+800-300=700$
$300+700-400=600$
$400+600-500=500$
$500+500-600=400$

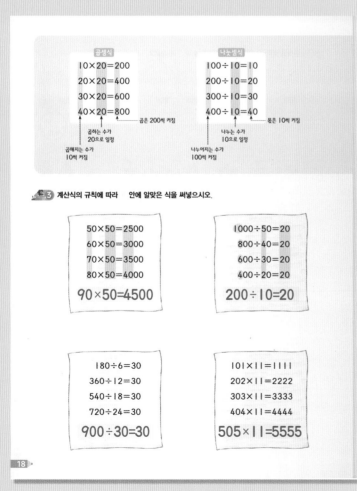

곱셈식

$10×20=200$
$20×20=400$
$30×20=600$
$40×20=800$

곱은 200씩 커짐　곱하는 수가 20으로 일정

곱해지는 수가 10씩 커짐

나눗셈식

$100÷10=10$
$200÷10=20$
$300÷10=30$
$400÷10=40$

몫은 10씩 커짐　나누는 수가 10으로 일정

나누어지는 수가 100씩 커짐

3 계산식의 규칙에 따라 　 안에 알맞은 식을 써넣으시오.

$50×50=2500$
$60×50=3000$
$70×50=3500$
$80×50=4000$
$90×50=4500$

$1000÷50=20$
$800÷40=20$
$600÷30=20$
$400÷20=20$
$200÷10=20$

$180÷6=30$
$360÷12=30$
$540÷18=30$
$720÷24=30$
$900÷30=30$

$101×11=1111$
$202×11=2222$
$303×11=3333$
$404×11=4444$
$505×11=5555$

4 계산식의 규칙에 따라 　 안에 알맞은 식을 써넣으시오.

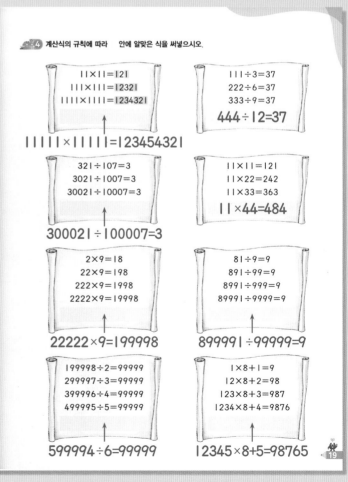

$11×11=121$
$111×111=12321$
$1111×1111=1234321$
$11111×11111=123454321$

$111÷3=37$
$222÷6=37$
$333÷9=37$
$444÷12=37$

$321÷107=3$
$3021÷1007=3$
$30021÷10007=3$
$300021÷100007=3$

$11×11=121$
$11×22=242$
$11×33=363$
$11×44=484$

$2×9=18$
$22×9=198$
$222×9=1998$
$2222×9=19998$
$22222×9=199998$

$81÷9=9$
$891÷99=9$
$8991÷999=9$
$89991÷9999=9$
$899991÷99999=9$

$199998÷2=99999$
$299997÷3=99999$
$399996÷4=99999$
$499995÷5=99999$
$599994÷6=99999$

$1×8+1=9$
$12×8+2=98$
$123×8+3=987$
$1234×8+4=9876$
$12345×8+5=98765$

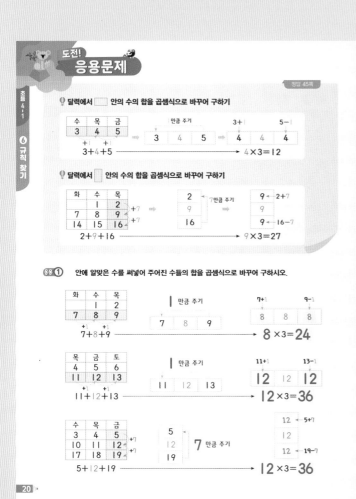

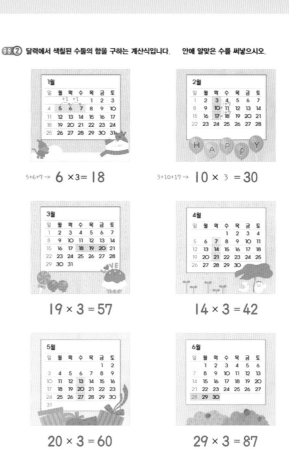

응용② 달력에서 색칠된 수들의 합을 구하는 계산식입니다.　안에 알맞은 수를 써넣으시오.

5+6+7 → $6 \times 3 = 18$　　3+10+17 → $10 \times 3 = 30$

$19 \times 3 = 57$　　$14 \times 3 = 42$

$20 \times 3 = 60$　　$29 \times 3 = 87$

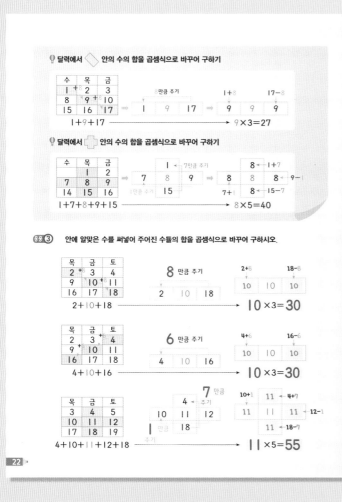

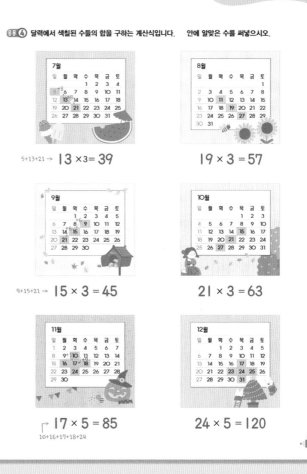

응용④ 달력에서 색칠된 수들의 합을 구하는 계산식입니다.　안에 알맞은 수를 써넣으시오.

5+13+21 → $13 \times 3 = 39$　　$19 \times 3 = 57$

9+15+21 → $15 \times 3 = 45$　　$21 \times 3 = 63$

$17 \times 5 = 85$　　$24 \times 5 = 120$

10+16+17+18+24

형성평가

걸린 시간: 분
정답 46쪽 점수 점

[01~02] 수 배열의 규칙에 따라 안에 알맞은 수를 써넣으시오.

01

| 360 | 370 | 380 | 390 | 400 | 410 |

규칙
360부터 오른쪽으로 **10** 씩 커짐

02

| 5316 |
| 5216 |
| 5116 |
| 5016 |
| 4916 |
| 4816 |

규칙
5316부터 아래쪽으로 **100** 씩 작아짐

03 수 배열표의 규칙에 따라 빈칸에 알맞은 수를 써넣으시오.

7298	7299	7300	7301	7302
6298	6299	6300	6301	6302
5298	5299	5300	5301	← **5302**
4298	4299		4301	4302

4300

04 수 배열표의 규칙에 따라 안에 알맞은 수를 써넣으시오.

규칙
오른쪽으로 **100** 씩 커지고,
아래쪽으로 **1** 씩 작아짐

+100

2701	2801	2901	3001	3101
	2800	2900	3000	3100	**−1**
2698				3099
				3098

05 규칙적인 수의 배열에서 빈칸에 알맞은 수를 써넣으시오. **4894**

| 7894 | 6894 | 5894 | ↓ | 3894 |
| | 6904 | 5904 | 4904 | 3904 | ↑ |

2904

[06~08] 도형의 배열을 보고 물음에 답하시오.

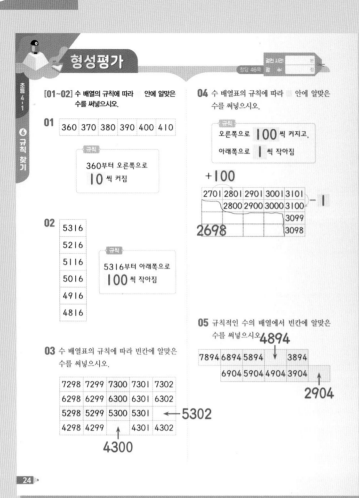

첫째 둘째 셋째 넷째

06 규칙을 찾아 안에 알맞은 수를 써넣으시오.

규칙
●의 개수가 **1** 개에서 시작하여
아래쪽으로 **2** 개씩 늘어납니다.

07 규칙에 따라 다섯째에 알맞은 도형을 그려 보시오.

다섯째
예

08 규칙에 따라 일곱째에 놓일 도형의 개수를 구하시오.

(**13**)개

1+2+2+2+2+2+2=13(개)

09 규칙에 따라 다섯째에 놓일 도형의 개수를 구하시오.

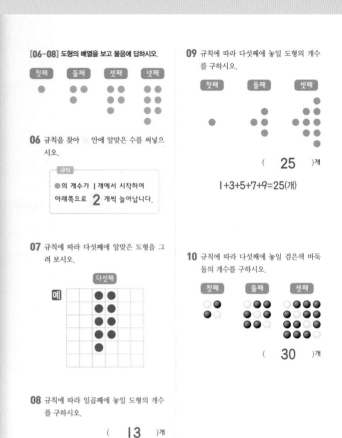

첫째 둘째 셋째

(**25**)개

1+3+5+7+9=25(개)

10 규칙에 따라 다섯째에 놓일 검은색 바둑돌의 개수를 구하시오.

첫째 둘째 셋째

(**30**)개

11 규칙을 찾아 표를 완성하시오.

규칙					
모양	△	□	△	△	□	△
색깔	노란색 ↑	초록색 ↑	빨간색 ↑

빨간색 노란색 초록색

[12~13] 규칙을 찾아 안에 들어갈 그림으로 알맞은 것에 ○표 하시오.

12

(. . ◯)

13

▶ ▼ ◀

14 규칙을 찾아 마지막 그림을 완성하시오.

파란색

빨간색

15 규칙을 찾아 빈 곳에 알맞은 그림을 찾아 ○표 하시오.

(. ◯ .)

[16~18] 계산식의 규칙에 따라 안에 알맞은 식을 써넣으시오.

16

319+201=520
329+211=540
339+221=560
349+231=580

359+241=600

17

365−163=202
465−263=202
565−363=202
665−463=202

765−563=202

18

67+44=111
667+444=1111
6667+4444=11111

66667+44444=111111

[19~20] 계산식의 규칙에 따라 안에 알맞은 식을 써넣으시오.

19

45×20=900
55×20=1100
65×20=1300
75×20=1500

85×20=1700

20

36÷9=4
396÷9=44
3996÷9=444
39996÷9=4444

399996÷9=44444

단원 평가   6. 규칙 찾기

정답 47쪽

[1~2] 수 배열표를 보고 물음에 답하시오.

2101	2111	2121	2131	2141
3101	3111	3121	3131	3141
4101	4111	4121	4131	4141
5101		5121	5131	5141

5111

1 수 배열의 규칙에 따라 빈칸에 알맞은 수를 써넣으시오.

2 수 배열의 규칙을 설명한 것 중 틀린 것을 찾아 기호를 쓰시오.

> ㉠ → 방향의 수는 10씩 커집니다.
> ㉡ ↓ 방향의 수는 ~~100~~씩 커집니다. ←1000
> ㉢ ╱ 방향의 수는 990씩 커집니다.

(㉡)

3 수 배열의 규칙에 따라 빈칸에 알맞은 수를 써넣으시오.

341	451	561	671	781	891

[4~5] 도형의 배열을 보고 물음에 답하시오.

첫째   둘째   셋째

4 도형의 배열에서 규칙을 찾아 쓰시오.

규칙 예 ●의 개수가 3개에서 시작하여 오른쪽과 위쪽으로 각각 1개씩 늘어납니다.

5 규칙에 따라 넷째에 알맞은 도형을 그려 보시오.

넷째

6 주어진 곱셈식의 규칙을 이용하여 나눗셈식을 쓰시오.

곱셈식	예 나눗셈식
50×11=550	550÷50=11
60×11=660	660÷60=11
70×11=770	770÷70=11
80×11=880	880÷80=11

[7~8] 수 배열표를 보고 물음에 답하시오.

2	4	6	8	10
17	19	21	23	25
32	34	36	38	40
47	49	51	53	55
62	64	66	68	70

7 규칙에 따라 빈칸에 알맞은 수를 써넣으시오.

8 다음은 색칠된 칸에서 찾은 규칙입니다. 안에 알맞은 수를 써넣으시오.

> 색칠된 칸의 수는 17부터 시작하여 ╲ 방향으로 17씩 커집니다.

[9~10] 달력의 □ 안에 있는 수에서 찾은 계산식을 보고 물음에 답하시오.

9 안에 알맞은 식을 써넣으시오.

7+15=8+14
8+16=9+15
9+17=10+16

예 10+18=11+17

10 안에 알맞은 수를 써넣으시오.

7+8+9=8×3
10+11+12=11×3
14+15+16=15×3
17+18+19=18×3

[11~12] 도형의 배열을 보고 물음에 답하시오.

첫째   둘째   셋째   넷째

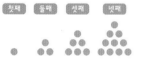

11 도형의 배열에서 규칙을 찾아 쓰시오.

규칙 예 ●의 개수가 1개에서 시작하여 2개, 3개, 4개……씩 늘어납니다.

12 다섯째에 알맞은 모양에서 ●의 개수는 모두 몇 개입니까?

(15)개

1+2+3+4+5=15(개)

13 표 안의 수를 이용하여 곱셈표를 완성하시오.

×	2	4	6	8
200	400	800	1200	1600
300	600	1200	1800	2400
400	800	1600	2400	3200
500	1000	2000	3000	4000

14 수의 배열에서 찾은 규칙적인 계산식을 보고 안에 알맞은 식을 써넣으시오.

210	220	230	240	250
310	320	330	340	350
410	420	430	440	450
510	520	530	540	550

210+320+430=230+320+410
220+330+440=240+330+420
230+340+450=250+340+430

예 310+420+530=330+420+510

15 규칙을 찾아 마지막 그림을 그려 보시오.

빨간색

16 규칙적인 수의 배열에서 ●에 알맞은 수를 구하시오.

2592	●	72	12	2

(432)

2592÷6=432

17 계산식의 규칙에 따라 안에 알맞은 식을 써넣으시오.

11×11=121
11×111=1221
11×1111=12221
11×11111=122221
11×111111=1222221

18 규칙에 따라 다섯째에 놓일 흰색 바둑돌과 검은색 바둑돌은 각각 몇 개입니까?

첫째   둘째   셋째

흰색 바둑돌 (30)개
검은색 바둑돌 (6)개

19 엘리베이터 버튼의 수 배열에서 규칙적인 계산식을 찾아 쓰시오.

15	16	17	18	19	20	21	22
7	8	9	10	11	12	13	14
B2	B1	1	2	3	4	5	6

예 9+2=10+1, 11+4=12+3, 13+6=14+5, 15+8=16+7

20 규칙적인 계산식을 보고 계산 결과가 702가 되는 순서는 몇째인지 풀이 과정을 쓰고 답을 구하시오.

순서	계산식
첫째	9×12=108
둘째	9×23=207
셋째	9×34=306
넷째	9×45=405

풀이 예 다섯째: 9×56=504
여섯째: 9×67=603
일곱째: 9×78=702

답 일곱째

memo